MATRONI ET MOI

ALEXIS MARTIN

MATRONI ET MOI

LEMÉAC

Photographie de la couverture : Alexis Martin © Stephane Dumais

Leméac Éditeur remercie le ministère du Patrimoine canadien, le Conseil des arts du Canada, la Société de développement des entreprises culturelles du Québec (SODEC) et le Programme de crédit d'impôt pour l'édition de livres du Gouvernement du Québec (Gestion SODEC) du soutien accordé à son programme de publication.

ISBN 2-7609-0363-X

© Copyright Ottawa 1997 par Leméac Éditeur Inc.
4609, rue d'Iberville, 3ᵉ étage, Montréal (Québec) H2H 2L9
Dépôt légal – Bibliothèque nationale du Québec, 2ᵉ trimestre 1997

Imprimé au Canada.

MATRONI...

ET LE GROUPEMENT
FORESTIER DU THÉÂTRE

En 1994, j'ai soumis aux directeurs du Nouveau Théâtre expérimental, MM. Robert Gravel et Jean-Pierre Ronfard, le projet d'un atelier théâtral portant sur la question de la mort de Dieu. Se déroulant sur deux semaines, celui-ci prévoyait, entre autres choses, la création de la pièce *Matroni et moi*, la première véritable manifestation du Groupement forestier du théâtre.

Les productions du Groupement affichent une désinvolture volontaire, étudiée ; l'individualité brouillonne des créateurs doit apparaître dans nos représentations, une individualité encore hésitante dont la source et la forme restent fluides, changeantes, suspendues entre perfection et imperfection, dans l'inachevé, le non-peint, l'ébauche... C'est *Matroni et moi*... ses tapis usés, ses tables bancales et ses accessoires de fortune, laissés à la vue du public, prêts à servir, soumis aux caprices de l'acteur ; car c'est l'individualité capricieuse de l'acteur, placé devant la terrible exigence du texte, c'est cette conscience capricieuse jetée dans le *show live* que nous voulons mettre en valeur, en affirmant la souveraineté du caprice, celle de l'acteur à la fois esclave du texte et libre de vivre son esclavage comme bon lui semble, à l'écoute du public et de ses propres humeurs du moment : un théâtre brouillon, humain, capricieux, rempli de chances à tenter ou à ne pas tenter...

Il m'est difficile de dire à quel point l'écriture et l'esprit de cette pièce sont redevables au magnétisme de Robert Gravel ; j'ai, pour ainsi dire, fait un deuxième apprentissage avec lui, tout juste après le Conservatoire. J'ai appris à aimer le jeu et le théâtre à ses côtés, parfois en le contestant, souvent en l'approuvant ; et bien que nous autres, les comédiens, fussions plus jeunes de dix ou vingt ans, c'est lui qui faisait preuve d'un véritable esprit d'irrévérence, d'un goût violent de la nouveauté.

Voici un court extrait du manifeste du Groupement forestier du théâtre qui traduit bien, je crois, l'esprit de la pièce *Matroni et moi* et ce que Robert était pour moi :

> Sur ces quatre tapis élimés, nous allons danser, maladroits ; et les maigres objets que nous avons rapaillés, les lignes indécises de l'espace et de la lumière, le sourire fatigué des choses qui nous entourent ne nous tromperont pas sur le sens de notre temps passé ici-bas : l'amour de cette vie, une légèreté odieuse dans l'amour de cette vie...

A. M.

À la mémoire de Robert Gravel
(1944-1996)

Matroni et moi a été représentée pour la première fois en lecture au Nouveau Théâtre expérimental dans le cadre d'un atelier sur la mort de Dieu, en décembre 1994.

Distribution lors de la création

Guylaine : Guylaine Tremblay
Bob : Gary Boudreault
Gilles : Alexis Martin
Matroni : Pierre Lebeau
Larochelle : Robert Gravel

La pièce a été reprise en mai 1995 au théâtre DuMaurier du Monument-National; en janvier 1996 à la cinquième salle de la Place des Arts; en juin 1996 au Carrefour international de théâtre de Québec; en septembre 1996 à l'Espace GO; en janvier-février 1997 dans le cadre d'une tournée au Québec. Lors des reprises, Daniel Brière a tenu le rôle du présentateur du spectacle; à l'Espace GO et en tournée, Jacques L'Heureux a tenu le rôle de Larochelle.

Décor

L'action se déroule de nos jours, dans l'appartement de Guylaine et dans la chambre d'hôtel de Matroni.

PROLOGUE

UNE VOIX OFF. Mesdames et messieurs, au nom du Groupement forestier du théâtre, voici monsieur François Carnavalet.

Une bergère roule doucement vers le public. François Carnavalet est assis, absorbé dans la lecture d'un livre. Au bout d'un moment, il « découvre » la présence du public et s'étonne...

CARNAVALET. Oh! vous étiez là... Madame, monsieur, bonsoir, et bienvenus à cette autre manifestation du Groupement forestier du théâtre. Certains se souviendront peut-être de la pièce *Apollyon*, que nous avions représentée il y a de ça quatre ans.

Il regarde dans la salle, attendant une réponse des spectateurs... la réponse ne vient pas, ou trop faiblement.

Bon. *Apollyon* racontait les déboires de Jean, écrivain de l'Apocalypse. Nous avons vu que Jean, dans un violent manifeste, appelait à lui les forces de destruction divines pour qu'elles fassent régner la justice dans un monde qu'il jugeait inhumain. Nous avons vu également que Jean mettait en jeu sa propre relation à la divinité à travers de savoureux dialogues avec son maître Jésus. Bien. La pièce de ce soir n'est pas tout à fait étrangère à certains problèmes abordés dans *Apollyon*, et bien que le contexte social ne soit pas tout à fait le même, nos protagonistes partagent tous, à leur façon, un peu de ce feu dévorant qui est le propre des grandes insatisfactions... des très grandes insatisfactions.

Il se lève, dépose son livre sur le fauteuil, fait quelques pas vers le centre du plateau.

Je vous dis Montréal, rue Henri-Julien, un mercredi soir du mois d'août. Les rues sont désertes, l'asphalte parle sa langue de sommeil; la lune s'est frayée un chemin entre les nuages et pend son œil vide au-dessus de la ville. Quelques passants troublent parfois la stupeur des rues, de jeunes couples transportant dans leurs bras un enfant endormi, à l'image de leur amour endormi... Ils marchent sur les rives du temps écoulé, ils ont oublié le goût des premiers baisers, ils s'enfoncent un peu plus à chaque pas dans la régularité des jours, la voix du sang ne bat plus à leur tempe... la ville sifflote, dans une camisole de temps enfui et de pluie. Le silence recouvre peu à peu la vie sur terre. On n'entend plus les canons qui tonnent au loin, on n'entend plus les couteaux qui crissent contre les os, on n'entend plus rien. Sourd, le monde est sourd!

Et c'est alors, toujours, que se lèvent les enragés de ce monde, ceux qui veulent rendre ignoble cette envie de bien-être comateux; ceux-là sont emportés par un rêve bouleversant qui leur rend la vue... Ils savent, souvent mal, mais ils savent, et ce savoir est une torche tombée dans leur ventre... Ils savent que l'amour de cette vie est l'unique moteur des constellations et des astres, des révolutions et de la beauté insigne des fleurs de mai!

Musique. François Carnavalet regagne son fauteuil. Il lance un dernier: « Madame, monsieur, bonne soirée... » puis le fauteuil disparaît à nouveau dans la pénombre de la coulisse.

Guylaine entre.

SCÈNE I

Guylaine attend l'arrivée de Gilles, impatiemment. Elle fixe la porte un moment.

GUYLAINE. Quatre heures... Ça doit pas prendre plus que vingt minutes pour monter du terminus jusqu'ici. Oh pis d'la marde, j'suis trop nerveuse...

Elle prend une bière.

Qu'est-ce que j'ai à être virée à l'envers de même, moi! *Temps. Elle se regarde dans son petit miroir à maquillage.* Ostie de face laide... J'suis toute dégrillée. Toute cernée. Y va me trouver laide. Là-bas, j'étais à mon meilleur...

Revivant la conversation qu'elle a eue avec Gilles.

«Ah! t'es Québécois toi 'ssi. All right! J'étais tannée de m'déménager la gueule en anglais...» Ça l'a fait rire... «Que cé que j'fais icitte? Ah, j'suis v'nue avec mon frère Bob... y a des affaires à régler icitte... du travail.» Une chance que j'y ai pas dit plus que ça. Y m'a invitée à prendre une bière, de la .5, j'm'en souviens, ça faisait bizarre pas mal déjà... Pis là, on a parlé... parlé longtemps. On a pas fourré, sur la .5 tu te souviens de toué détails... Y' avait même pas l'air intéressé par ça. Au milieu de la soirée, j'étais comme un peu frustrée. Mais à la fin de la veillée, j'étais ben... C'tait tellement différent! On parlait. Des affaires tellement étranges! Je comprenais pas qu'un gars puisse avoir des préoccupations comme ça. À c't'heure j'comprends, mais à ce moment-là, c'tait trop *out of space!* La philosophie... l'éthique qu'y appelle... Je suivais pas toujours c'qu'y racontait, mais lui, ça l'bâdrait pas. C'est là que j'ai senti que c'tait un gars vraiment généreux. Je

13

sais pas trop comment expliquer ça... parce que... parce qu'y s'abaissait pas à moi pour m'expliquer ses affaires d'éthique pis de Dieu. Y disait les choses simplement, comme y faut. Moi j'le laissais parler. Des fois j'demandais pour un mot, une définition. Ça l'achalait pas. Y en remettait, y expliquait... Pis d'un coup, y s'farme, ses yeux noirs tombent sur toi, t'as l'impression qu'y a dix mille personnes qui t'écoutent! T'as le sentiment que tout c'que tu dis s'marque en lettres de feu en dedans de lui... Les jours passent, t'es aux States, grand soleil, la mer... Bob t'achale pas, y brasse sa marde en ville. On est tout seul, toué deux... On se voit toué jours. Y a toujours pas l'air d'avoir envie de pinailler. Moi non plus, finalement. Vraiment spécial. À 'ment donné, y se met à me parler de la *responsabilité civile*, que le plus grand crime c'est de voler le gouvernement, parce que le gouvernement, c'est toute nous autres, donc que, logiquement, le monde devrait pas se tromper eux-mêmes... Ç'avait ben de l'allure, c'est sûr, mais toute... tu peux pas calculer toujours de même sur la bonne foi du monde... fait que là j'y dis: oui, mais Gilles, la vie, la vie là, c'est pas logique!

Sotto voce:

Là y s'est fermé la trappe deux bonnes minutes. Y me regardait... avec des yeux pas ordinaires. Deux cavernes pleines de flammes... J'ai eu un frisson. Y prend ma main, il l'effleure du bout des lèvres. Y me dit: «Guylaine, t'es merveilleuse... » On est sortis sur la plage. Y a approché sa bouche de mon oreille. J'avais le coin de sa monture de lunettes qui me faisait un gros point sur la tempe. Mais je disais rien. Je voulais pas briser ce moment-là. Drôle, la vie... C'tait un moment très spécial, mais c'qui me reste le plus, c'est la sensation de sa monture qu'y m'enfonce dans la tempe... La vie, c'est pas logique.

Petit rire.
On sonne! Elle se précipite à la porte.

14

GUYLAINE. Gilles !

Son frère Bob apparaît.

BOB. Non. Moi, c'est Bob.

GUYLAINE. Ah, christie... s'cuse. J'attends Gilles d'une minute à l'autre.

BOB. Ce gars-là est aimé ! Y va étouffer.

GUYLAINE. Qu'est-ce que tu veux ?

BOB. Rien de spécial. Ça prend-tu une réservation pour mettre les pieds chez vous ? J'venais voir ma sœur. P'têt que tu peux y laisser un message...

GUYLAINE. Ben non... Veux-tu une bière ?

BOB. Qu'est-ce que t'en penses ?

GUYLAINE. Sers-toi.

Bob examine une bouteille de bière importée.

GUYLAINE. J't'avertis, quand Gilles arrive, t'es pus là.

BOB. ... Abbaye de Bonne-Espérance. Du pipi de Jésus ou de la bière de fif, ça ?

GUYLAINE. De la bière belge. Pas mal plus raffinée que ta bière-à-tôtons.

BOB. De la bière-à-tôtons, c'est bon ça ! Les tôtons de bonne espérance... *(Il rit seul.)* Mmmmmm... ça se laisse boire.

GUYLAINE. Toujours dans tes crookeries...

BOB. Toi, toujours chez le Grec ?

GUYLAINE. Non.

BOB. Comment ça ?

GUYLAINE. Je retourne étudier.

BOB. Quoi ?

GUYLAINE. Je re-tourne é-tu-dier. À l'université.

BOB. Es-tu malade ?!

GUYLAINE. J'ai rien à apprendre dans un bar.

BOB. C'est quoi le rapport ! T'es pas dans un bar pour apprendre, mais pour faire de l'argent ! Une job, c't'une job. Tabarnac, Guylaine ! Ça m'a pris tout mon p'tit change pour te trouver c'te job-là !

GUYLAINE. Bob, j'vais me débrouiller toute seule maintenant, O.K.

BOB. De quoi tu vas vivre ?

GUYLAINE. Les prêts-bourses.

BOB. Le B.-S. ?

GUYLAINE. Mais non ! Ah, laisse faire, veux-tu ?!

BOB. Non, non... explique un peu !

GUYLAINE. J'ai pas à rien t'expliquer ! T'es pas mon père !

BOB. Peut-être, mais pa' est pus là, c'est moi qui es responsable de toi ast'heure.

GUYLAINE. Responsable ! Ah oui... ben ben responsable... T'es ben fin, j'apprécie tout c'que tu fais et c'que tu fais pas pour moi... mais là, j'te dis que c'est correct. J'vais me débrouiller toute seule. S'il vous plaît.

Bob la regarde. Un moment de silence.

Regarde-moi pas d'même, j'ai pas tué personne !

BOB. Y s'est passé quelque chose au bar ? Y a un gars qui t'a fait du trouble ?

GUYLAINE. Non ! Y s'est rien passé.

BOB. Mais que cé qu'tu vas faire à ton université ?

GUYLAINE. Étudier, Bob ! Je vas ÉTUDIER.

BOB. Pourquoi ?

GUYLAINE. Apprendre...

BOB. Apprendre quoi ?

GUYLAINE. Ahhhh...

BOB. T'étais ben chez le Grec. T'avais dix piasses de l'heure, quand dans les aut' bars y font pas la moitié. Y a personne qui t'achale, le Grec est chum avec Monsieur Matroni, t'as plein de cadeaux tout le temps... Veux-tu ben m'dire à quoi t'as pensé...

GUYLAINE. J'veux êt' libre de tout ça, Bob ! C'est pas dur à catcher ça, calice ! Pour ça, y faut que je retourne à l'école. J'ai besoin d'apprendre à lire, à écrire comme du monde, tabarnac ! Y faut qu'j'ouvre sur un aut' monde, ostie du saint-ciboire, que j'fraye avec d'aut' personnes, que je me change les idées !

BOB. C'est ton têteux de batte qui t'a mis ça dans 'tête ?

GUYLAINE. Hey ! Hey ! JE TE DÉFENDS d'parler de Gilles comme ça !

BOB. ... me semblait que ce gars-là était pas clean.

GUYLAINE. Tu peux ben parler, pas clean, pas clean !!! Avec toutes tes osties de magouilles sales, tes passes de dope, toute ta maudite pègre !

BOB. Y a pas de sots métiers, pa' disait. C'est la « maudite pègre » qui t'a payé tes robes pis ton manger, j'te ferais remarquer !

GUYLAINE. C't'argent-là est sale !

17

BOB. Y a un besoin, on le satisfait, c'est tout'.

GUYLAINE. Ça tue du monde, c'que vous faites !

BOB. C'est pas la dope, la boisson ou le sexe qui tuent le monde, c'est la vie qui les tue !

GUYLAINE. Laisse faire...

BOB. T'entends-tu c'que j'te dis ! ?

GUYLAINE. O.K., dégage, Bob. Gilles va arriver, j'veux être seule avec lui.

BOB. C'est la vie qui tue le monde ; pis ça, ni toi, ni moi, ni monsieur Matroni, encore moins les téteux de batte de l'université, vont changer ça.

GUYLAINE. C'correct, j'te rappelle. Dégosse.

BOB. J'ai ben le goût d'y voir la face à ton chum, moi.

GUYLAINE. S'il te plaît, Bob ! Veux-tu, ostie...

BOB, *tirant un vingt dollars de sa poche.* Tiens.

GUYLAINE. Ben non...

BOB. Envoye ! Prends-le. Tu le donneras à ton chum, qu'y t'amène au lac des Castors...

GUYLAINE, *pressée d'en finir.* Merci, t'es ben fin.

BOB. Pour le Grec, j'vas y parler. Lui dire que t'es pas sûre, que t'as des « règles », que tu prends jusse une 'tite vacance.

GUYLAINE. Ohhhh... t'es cave, toi, quand tu veux...

BOB. Hey ! j'ai dit !

GUYLAINE. O.K., O.K., dégage à c't'heure.

BOB. Si je veux.

GUYLAINE. TU VEUX.

BOB. Tu devines tout', toi. Pas besoin d'aller téter des battes à l'université. T'es ben assez bright de même.

GUYLAINE. Cout' don', tu l'aimes-tu, c't'expression-là !

BOB. Quelle ?

GUYLAINE. « Téteux de batte »...

BOB. Ça dit c'que ç'a à dire.

GUYLAINE. Quéssé ça veut dire, Bob ?

BOB. Tu le sais. Tu devines tout'.

GUYLAINE. T'es pas mal ignorant, j'vas t'dire.

BOB. Oui mais j'suis ton frère. D'ailleurs, si t'étais pas ma sœur, tu le sais que n'importe quand...

GUYLAINE. Ostie de gros porc, j'aime mieux pas y penser.

Ils se font la bise, comme si de rien n'était...
Bob sort.

SCÈNE II

La lumière revient sur la table de la cuisine. Gilles et Guylaine sont face à face, chacun une main sur l'épaule de l'autre.

GUYLAINE. Moi aussi... T'as fait bon voyage ?

GILLES. Bien voici : l'autobus, c'est l'autobus. Je préfère le train. En train, on a l'impression d'être plus engagé dans le paysage qu'on parcourt. En autobus, on est dans l'univers plus abstrait des routes, on perd rapidement la notion du monde ambiant pour entrer dans un monde proprement linéaire, c'est plus difficile d'accepter qu'on bouge en effet.

GUYLAINE. Hun-hun... mais à part ça, t'es pas trop fatigué ?

GILLES. Non... j'ai pensé à toi tout le long et ça m'a porté.

Guylaine lui donne une bière belge.

GILLES. Merci ! C'est bon.

GUYLAINE. C'est meilleur que la bière qu'on boit d'habitude... habituellement, je veux dire.

On sent chez elle un effort pour mieux s'exprimer.

GILLES. C'est alcoolisé, en tout cas.

GUYLAINE. Tu la trouves trop forte ?

GILLES. Non ! Mais je sais qu'il existe aux États-Unis des bières non alcoolisées.

GUYLAINE. Ben ! Ça fait un boutte ! Ça fait longtemps, j'veux dire...

GILLES. Signe des temps: les gens veulent le signe extérieur de la fuite, mais pas les effets... Le bonheur light...

Rires.

GUYLAINE. Ta thèse... Comment ça s'est passé? Dans ta dernière lettre, t'étais à la veille de remettre ta mémoire.

GILLES. Comment, MA mémoire? Tu veux dire mon mémoire... quoique, en effet, si on prend *mémoire* dans son acception radicale, c'est bien *une* mémoire. On pourrait dire ça comme ça...

GUYLAINE. Oui, oui...

GILLES. J'aurai pas de réponse avant quelques semaines. Mon directeur était enthousiaste, cependant. Je suis assez content de mon travail, j'dois dire, au risque de paraître présomptueux...

GUYLAINE. Ben... t'as travaillé fort pour l'être!

GILLES. Présomptueux?

GUYLAINE. Oui.

GILLES, *riant.* Si on veut, oui!

Silence. Ils se regardent un bon moment. Baissent les yeux.

GILLES. Comme ça, c'est décidé, tu reprends les études?

GUYLAINE. Oui! J'suis vraiment décidée. Ça m'angoisse un peu.

GILLES. Ça va bien aller, j'suis convaincu.

GUYLAINE. Ça fait longtemps que j'ai pas mis les pieds à l'école. Pour toi, c'est naturel. Moi, ma famille encourageait pas tellement ça. Mon père m'a dit quand j'avais quinze ans pis que je lui demandais de l'argent pour acheter des livres de classe: «Fille, y va falloir que tu

21

travailles pour te payer tes livres. Pis si tu travailles, va falloir que tu lâches l'école. Alors, y me dit, alors si tu gagnes de l'argent pour acheter des livres mais que t'es pas à l'école pour t'en servir, t'es autant mieux de travailler, O.K., mais de garder l'argent pour toi. »

GILLES. C'est drôle... je saisis pas bien les prémisses du raisonnement.

GUYLAINE. Le message était clair : mon frère Bob a lâché en secondaire III, moi en IV.

GILLES. Je vais t'encourager du mieux que je peux. J'imagine que ça prend un certain courage pour se replonger là-dedans.

GUYLAINE. Ça en prend.

GILLES. J'imagine.

GUYLAINE. Ça en prend.

GILLES. J'imagine.

GUYLAINE. Ça en prend.

Pause. Guylaine soupire doucement.

GUYLAINE. Gilles.

GILLES. Oui ?

GUYLAINE. Je suis contente que tu sois là...

GILLES. Moi aussi.

Ils s'enlacent, tout en restant assis. Étreinte malhabile, la bouteille de bière reste prise entre les deux corps. Guylaine la retire discrètement.

GILLES. Je pensais beaucoup à toi, au collège...

GUYLAINE. C'est vrai ?

GILLES. Oui! Les derniers jours, j'avais beaucoup de difficulté à me concentrer.

GUYLAINE. Oui...

GILLES. J'étais incapable de lire plus de six heures par jour, le livre me tombait des mains...

GUYLAINE. Six heures.

GILLES. Y venait toujours un moment où ton image se surimposait sur le texte, j'arrivais pas à la chasser!

GUYLAINE. Une chance!

Ils rient un peu.

GUYLAINE. Vas-tu aller voir ton père?

GILLES. Je me suis permis de lui laisser ton adresse. Y va peut-être faire un saut demain matin. Je voulais pas te laisser seule.

GUYLAINE. As-tu une copie de *ton* mémoire avec toi?

GILLES. Oui.

Il retire de son sac un manuscrit volumineux, le dépose sur la table. Guylaine en lit le titre à haute voix :

GUYLAINE. «La mort de Dieu : responsabilité et éthique dans la conscience profane ». Ç'a l'air le fun. Intéressant, j'veux dire...

GILLES. Tu le liras. Je te donne toutes les explications que tu veux. On le lira ensemble, tiens; y a moi-même des choses que je veux éclaircir.

GUYLAINE. Mais... y a pas des livres, des choses que je devrais, je sais pas... assimiler avant?

GILLES. Non... Un gros thermos de café, peut-être!

Ils rient gentiment.

GUYLAINE, *enthousiaste*. J'ai hâte de retourner à l'école pour sentir ce feeling-là, de brasser des idées.

GILLES. Oui.

GUYLAINE. Ça traite de quoi au juste, ta thèse ? Ben j'veux dire... le titre le dit comme... mais plus en... en... détail ?

GILLES. Ça parle de la mort de Dieu en gros.

GUYLAINE. O.K. oui. Dieu est mort.*(Temps.)* Quand est-ce exactement ?

GILLES. Peut-être... au XIXe siècle.

GUYLAINE. O.K.

GILLES. Mais en fait, quand on est passé d'une société régie par le sacré à une société civile, profane, qui veut se constituer sur des principes objectifs, rationnels.

GUYLAINE. Oui, O.K... tu m'en avais parlé aux États...

GILLES. Et moi ce que j'ai voulu faire, c'est pas tant un exposé historique du credo profane que mesurer l'ONDE DE CHOC de la mort de Dieu ; c'est-à-dire l'éclipse de ce qu'on pourrait appeler le GRAND JUGE, c'est-à-dire la disparition d'un juge qui soit au-delà de la communauté, posé comme une garantie transcendante de la rétribution, du châtiment ou du salut pour les uns et les autres, O.K. ? O.K., O.K., O.K., le sujet est pas neuf, je sais, je sais ! mais je dis, moi, que le sujet est pas épuisé ! Le corps du sujet est même pas à l'agonie ! Moi, ce qui m'intéresse, en fait, c'est notre génération ; notre génération face à la disparition des points de repère traditionnels et, surtout, face à la transcendance...

GUYLAINE. Ouais, O.K., oui...

GILLES. Il y a eu, si tu veux, une substitution de l'eschatologie sacrée...

GUYLAINE. Attends une minute-là... Eska-to-logie?

GILLES. L'eschatologie, c'est un peu la doctrine des fins dernières de l'humanité...

GUYLAINE. La fin du monde?

GILLES. Non, pas vraiment; plus... la destination du monde...

GUYLAINE, *ne comprenant toujours pas.* ... continue...

GILLES. ... une substitution de l'eschatologie sacrée par une eschatologie profane, où les membres de la communauté décident d'assumer la régulation, la répression du crime par leurs propres moyens; sans l'aide du Ciel, si tu veux. Et c'est dans cette société-là qu'on vit actuellement, je crois qu'y faut pas se mentir là-dessus! Bon. On sait ceci: si tu commets un crime, t'es sujet à la justice des hommes. D'accord. Mais pour le croyant, O.K., pour le CROYANT, c'est faux, ou incomplet, en ce que, pour lui, avant la justice des hommes, il y a d'abord la justice...

GUYLAINE, *complétant la phrase*: ... de Dieu!

GILLES. DIVINE! Oui! Voilà! Une justice qui est omnisciente, hein, qui voit tout, qui punit quoi qu'il en soit, quand bien même ton crime passe inaperçu aux yeux des autres. Je m'explique: pour les incroyants que nous sommes, la seule justice c'est la justice des hommes; une justice qui n'est pas omnisciente, c'est-à-dire qu'on peut très bien commettre un crime, échapper à la justice des hommes, alors que résolument ON N'ÉCHAPPE PAS à la justice de Dieu.

Vois-tu là?

GUYLAINE. Ouais, O.K., mais...

GILLES. Tu peux objecter...

GUYLAINE. Non, non... continue...

GILLES. ... oui, mais la conscience ! On n'échappe pas à sa conscience ! D'accord, mais là encore y faut nuancer ! en ce que la conscience individuelle n'est plus régie, O.K., par une norme absolue ; bien sûr, il y a des dénominateurs communs, un consensus autour de quelques valeurs, mais le nouveau, hein, le nouveau, c'est qu'on assiste à une *atomisation des consciences*, à la *fragmentation*, si je peux dire, à la fragmentation du nœud commun, du tronc commun des valeurs-forces qui déterminaient la société traditionnelle...

GUYLAINE, *discrètement*. T'es beau.

GILLES, *gêné*. Oui... et si le criminel moderne peut *s'arranger* de sa conscience, alors, il peut très bien accomplir son périple extrajudiciaire, échapper au remords en esquivant À LA FOIS sa conscience ET la justice des hommes...

ELLIPSE.
Changement d'éclairage. Plusieurs heures.
La lumière revient.

GILLES, *lisant sa thèse*. Ainsi, dans les grandes villes, l'atomisation des destins, l'esseulement des individus, mènent la notion même de communauté à une fragilisation de plus en plus accusée...

Guylaine dort, toujours assise à la table.
Gilles la met à l'épreuve :

L'industrie ferroviaire chinoise utilise de plus en plus de condoms afin de préserver sa flotte de locomotives... Tu t'endors, Guylaine ?

Gilles embrasse son front. Elle se réveille.

GUYLAINE. Hein?! Oui, oui, j'écoute, Gilles. J'ai... j'ai jusse un p'tit peu de misère à me concentrer. Je... J'aimerais ça m'étendre avec toi...

GILLES. Oui.

GUYLAINE. J'ai préparé un lit sur le balcon. Comme la nuit est chaude, j'pensais qu'on pourrait dormir dehors.

GILLES. Excuse-moi, je me suis un peu oublié avec mon mémoire...

GUYLAINE. Non, non, mais ça m'intéresse vraiment, c'est jusse que...

GILLES. C'est que je faisais un jeu de mots stupide avec mémoire/oublié...

GUYLAINE, *bayant aux corneilles.* Ouais...

Ils vont au balcon.

GILLES. La belle nuit!

GUYLAINE, *déployant une couverture.* Oui.

Elle s'allonge.

GILLES, *contemplatif.* C'est beau un arbre. *(Il se penche pour regarder la rue.)* Tiens! Y a un homme qui dort au pied de l'arbre... C'est vrai que c'est tellement paisible.

Il s'allonge près de Guylaine.
Guylaine se relève :

GUYLAINE. Comment ça, y a un homme couché devant chez nous?

GILLES, *dans les limbes :* Oui...

GUYLAINE. Ben voyons, que cé... *(Elle se penche par-dessus la balustrade pour mieux voir. Elle pousse un petit cri de surprise.)*

Hey! mais c'est Bob! C'est mon frère. Que cé qu'y fait là, lui? Ben voyons...

Elle sort chercher son frère.
Temps.
Elle réapparaît, soutenant son frère. Celui-ci est sévèrement amoché. Son œil droit est tuméfié, son nez saigne. Il marche à grand-peine. Guylaine le fait asseoir, lui passe un linge mouillé sur le visage.

GUYLAINE. Attends minute... j'vas nettoyer ça... Dieu du ciel, Bob, quessé qu'y est arrivé? Tu t'es battu?

BOB. Aye aye aye... non... je... ostie ostie ostie.

GUYLAINE. Ostie, quoi? Quessé qu'y est arrivé, don'? T'as l'œil à moitié arraché!

BOB. J'ai mal à tête...

Gilles est là, témoin muet de la scène. Il choisit ce moment pour tendre la main à Bob.

GILLES. Gilles Larochelle. Je suis l'ami de Guylaine. Je suis enchanté de faire...

Voyant que l'autre ne prend pas sa main, il s'interrompt.

BOB. Ostie, j'ai mal à tête.

GILLES. On s'est manqué de peu aux États-Unis, le printemps dernier...

GUYLAINE. Je te donne des aspirines. Mais y va falloir que t'ailles à l'urgence pour faire chécker ça.

GILLES. ... mais vous étiez trop pris par vos affaires personnelles.

BOB. Ostie, ma tête... *(Il avale les aspirines que lui donne Guylaine.)* Écoute ben, Guylaine: y a une grosse crosse dans' patente...

GUYLAINE, *traduisant à l'intention de Gilles.* Des problèmes au travail...

BOB. On s'est fait double-crosser. Y a des gars à nous autres qui sont passés à' clique de l'Ontario. Sauf qu'y en a un qui a eu des remords pis qui nous a avertis ; le gars m'a donné une enveloppe avec les noms des gars qui sont dans' crosse.

GILLES. Beau sport. Au collège...

BOB, *sans se préoccuper de Gilles.* J'ai même pas eu le temps de dire merci au gars que des *muscle men* de la clique de l'Ontario nous ont tombé dessus. J'ai réussi à leu' échapper de justesse. Mais j'pense que le gars, l'aut', y est fait'.

GUYLAINE, *traduisant encore.* Y est mort.

BOB. Cout' ben : faut assolument que monsieur Matroni aye c'te lisse-là avant demain, sinon les gars qui nous ont crossés vont revenir contre lui, pis méchamment à part de ça...

GUYLAINE. Oui, mais... je sais pas... pourquoi tu l'appelles pas, monsieur Matroni ?

BOB. Non, ciboire ! T'as pas d'tête ! La ligne de Matroni est tapée par les chiens ! Y pourraient retracer l'appel icitte pis te donner d'la marde.

GILLES. Mais si la ligne de ce monsieur est tapée, c'est qu'il doit avoir des ennuis avec les autorités. Tu devrais pas t'en mêler au premier chef, Bob. À mon avis.

BOB, *regardant Gilles sans comprendre.* Quessé qu'y dit ?

GUYLAINE. Laisse faire, Gilles. J'm'en occupe.

GILLES. Écoute, Guylaine. Peut-être que tu préfères rester seule avec ton frère. Si tu as besoin de moi, j'vais être sur le balcon. Bob...

Gilles amorce une sortie ; après un moment de réflexion, Bob le rappelle :

BOB. Gilles !... reste, mon chum, on a pas fini avec toi.

GUYLAINE, *furieuse*. Non... Bob, tu mêles pas Gilles à ça !

BOB. C't'un gars serviable, Gilles, hein ?

GILLES, *revenant à la table de la cuisine et adoptant un ton badin*. Oh ! tu peux me parler à la deuxième personne, Bob, on fait un peu partie de la même famille maintenant.

BOB. Je sais pas si Gilles pourrait faire une petite commission...

GILLES. Bien, si c'est dans « ses » moyens, ça va « lui » faire plaisir...

GUYLAINE. Bob, non !

BOB. Aller porter un... message, comme qu'on dit, à monsieur Matroni.

GUYLAINE. Bob, j't'avertis !

BOB. Si les sales étaient pas après moi, tu le sais que j'y demanderais pas...

GUYLAINE. J'vais y aller moi-même, d'abord !

GILLES. Non, il est tard, je serais pas rassuré de te savoir au centre-ville.

BOB. Exact. Ça se peut que les gars qui nous ont crossés te connaissent, Guylaine, pis y en a sûrement un de planqué dans le lobby du Sheraton. O.K., mon Gilles : monsieur Matroni a une chambre au Sheraton centre-ville. Numéro 709. À' réception, tu demandes à parler à Peter. C't'un gars qui travaille à' réception. Tu parles à lui seulement, O.K. ?

GILLES. Vu.

BOB. Ensuite, tu demandes à Peter de te passer monsieur Sullivan. Quand t'as Sullivan au téléphone, tu dis que tu viens de la part de Bob, pis là monsieur Sullivan, tu vas te rendre compte que c'est monsieur Matroni...

GILLES. Un alias.

BOB. J'vas te donner une enveloppe pour monsieur Matroni...

GUYLAINE. Bob, tu remets pus jamais les pieds icitte ! M'entends-tu ?

BOB, *ignorant Guylaine.* Écoute ben, Gilles : y a personne qui connaît ce qu'y a là-dedans ; tu donnes l'enveloppe à monsieur Matroni en personne. À personne d'autre. C'est clair, ça ? Y va y avoir des gars avec monsieur Matroni, mais tu t'en occupes pas ! Tu y donnes l'enveloppe à LUI.

GILLES. Bien. Je vais simplement changer de chemise si tu permets, j'ai le même vêtement sur le dos depuis quatorze heures.

BOB. O.K., on s'entend bien, Gilles, on travaille ben, toué deux.

Exit Gilles.

GUYLAINE. Bob, laisse-le en dehors de ça ! Y a pas à êt' mêlé à vos cochonneries !

BOB. Criss, Guylaine, c'est ma peau pis celle de Matroni qu'y veulent, pis y vont l'avoir si le boss a pas leu' noms... on a deux jours pour les spotter, pas plus, avant qu'y reviennent sur nous autres.

GUYLAINE. Faut toujours que tu viennes chienner les affaires pour moi ! Hein ! Maudite malédiction...

J't'avertis, Bob, après c'te nuitte, j'veux pus que tu mettes les pieds icitte ! C'tu clair ça ?

BOB. Oui, oui.

GUYLAINE. « Oui oui »-moé pas, mon ciboire ! Tu sors de ma vie, final bâton !

BOB. Ostie, j'ai mal à tête...

GUYLAINE. Veux-tu d'autres aspirines ?

BOB. Donne-moi une bière.

GUYLAINE. Ben non !

BOB. Ça va me relaxer. S'y vous plaît, ma belle, discutaille pas tout le temps.

Guylaine obtempère. Gilles réapparaît, changé, peigné.

GILLES. Tu bois une bière, Bob ? Ça aidera pas à la cicatrisation.

BOB. T'as raison. *(Il boit néanmoins.)* Tins, v'là l'enveloppe. Tu sais ousqué le Sheraton ?

GILLES. Bien, à vrai dire, vaguement. Mais en demandant sur mon chemin, je suis sûr...

BOB. Écoute, Gilles, t'es ben smatte de faire ça, mais faut que t'ailles straight au Sheraton. C'est pas le temps de faire le tourisse. J'vas te donner un vingt, pis tu vas te pogner un taxi. *(Après un moment d'hésitation, il se tourne vers Guylaine :)* Y m'ont volé, les sales ! Guylaine, prêtes-y le vingt que j't'ai donné après-midi.

GUYLAINE, *remettant le vingt dollars à Gilles.* Rien ne se perd, rien ne se crée... Gilles, fais ça vite...

GILLES. Oui. Simplement une question avant.

BOB. Shoote.

GILLES. Je souhaiterais que tu m'expliques la nature de ton travail ainsi que celle de tes relations avec monsieur Matroni.

BOB, *à Guylaine.* Y veut-tu savoir si j'couche avec ou quoi ?

GILLES. Ma question peut apparaître déplacée, mais j'ai besoin de connaître les tenants et les aboutissants d'une affaire où je vais jouer, si mince soit-il, un rôle.

BOB. En français ?...

GUYLAINE. Y veut savoir si t'es dans' pègre pis quelle sorte de marde tu brasses.

BOB. Guylaine ! Écoute, Gilles : monsieur Matroni est... une sorte d'homme d'affaires influent. Et moi ch'us... comme un assistant-gérant. O.K. ?

GILLES. Au risque de paraître insistant, il me semble qu'un homme dont le téléphone est surveillé par les autorités doit être impliqué dans des causes louches.

GUYLAINE. C'est mieux que t'ailles maintenant, Gilles. Bob s'expliquera après. NON : je t'expliquerai. Je veux pas que tu rentres trop tard.

BOB. C'est ça ! Vas-y, Gilles, arrête de gosser les mots.

GILLES. Tu m'excuseras, Guylaine, mais je peux pas engager ma personne, et par le fait même ma responsabilité, sans savoir QUEL ÉCHO trouveront mes gestes !

BOB. Gilles... Gilles, regarde-moi : toi, là, toi, t'as rien, rien, rien, rien à faire à penser là-dedans, à part de charrier un boutte de papier d'icitte au Sheraton, O.K. ? Tu comprends ça, Gilles ? Parle pas : fais jusse dire oui ou non.

GUYLAINE. Mon chéri, ça t'engage à rien. C'est rien qu'une commission.

GILLES, *sur un ton très rapide.* Ah! Si le messager qui dévoile à Oreste le mystère de sa naissance avait su les conséquences, le retentissement de son intervention, peut-être aurait-il suspendu son geste et ainsi annulé la tragédie! O.K.: on peut rétorquer ici que le messager avait pas le choix, qu'il n'était qu'un simple exécutant, un subalterne qui devait obéir...

BOB. Ouais...

GILLES. ... mais on est ici entre hommes libres! Je vous dis en peu de mots ce qui demande un beaucoup plus ample développement.

GUYLAINE. C'est pas nécessaire, Gilles.

BOB. Ostie...

GUYLAINE. Gilles, Bob peut pas t'en dire plus justement parce que... parce que t'as pas à être mêlé à ça. C'est tout!

GILLES. Il faut que je sache où je pose les pieds.

BOB. Gilles, mon chum, y faut qu'on arrête le tétaillage: la vie de monsieur Matroni et moi-même est en danger de mort.

GILLES. Ça me suggère l'idée qu'il faut alerter la police.

BOB. Non! Ciboire, ce gars-là a une tête en téflon! La police peut rien faire MAINTENANT, Gilles: la police arrive toujours quand le mal est faite. Crés-en ma feuille de route...

GUYLAINE. Vas-y, Gilles; plus vite tu y vas, plus vite c'est fait, plus vite on a la paix.

GILLES, *songeur.* La paix... tu le penses vraiment?

GUYLAINE. Gilles!

Guylaine embrasse Gilles sur la bouche, longuement.

GILLES. Bien... j'y vais. Cependant, Bob, je voudrais que tu saches que je ne suis pas la dupe que tu crois, que j'ai deviné que toi et monsieur Matroni, vous consacrez pas exactement vos journées à dessiner des jardins d'enfants... Si faire de l'esprit est encore dans nos possibilités.

Il embrasse Guylaine à nouveau.

BOB. Ostie, la tête veut m'arracher...

GUYLAINE. Parle pas trop avec les gens que tu rencontres...

BOB. Ouais, t'es en train de prendre un mauvais pli.

Gilles sort. Noir.

Musique. Changement de décor. On se transporte dans la chambre de monsieur Matroni, dans un hôtel du centre-ville...

SCÈNE III

Matroni est au téléphone.

MATRONI, *grognement sourd.* Hun-hun. Hun-hun. Hun. Ouais... hun-hun... hun-hun. Ouais... hun. Hun. Hun. Hun. Ouais.

Il raccroche.

Court temps.

On sonne. Gilles entre. Matroni le saisit et le plaque contre le mur, en douceur. Il vérifie s'il n'a pas d'arme.

GILLES. Monsieur Matroni, je présume ?

MATRONI...

GILLES. Gilles Larochelle. Je viens de la part de votre camarade, Bob. Votre collègue dans le couloir a déjà vérifié. Costume de laine anglais.

MATRONI. Formalité. *(Il prend l'enveloppe que lui tend Gilles, la renifle, la dépose sur une table.)* Gin ?

GILLES. Non merci.

D'un claquement sec des doigts, Matroni l'invite à sortir.

GILLES. Merci.

Il sort. Matroni reprend l'enveloppe. On sonne à nouveau. C'est Gilles.

GILLES. Je vous demande pardon, monsieur... *(Matroni regarde sa montre.)* Oui, je sais qu'il est tard et qu'une bonne nuit de sommeil serait la bienvenue, mais comme la nuit est déjà entamée, je crois qu'il faut y renoncer...

MATRONI. ... C'tu veux ?

GILLES. Pardon?

MATRONI. C'TU VEUX?

GILLES. C'est à propos de Guylaine, la sœur de Bob.

MATRONI. Gin?

GILLES. Bien aimable à vous, mais non, merci.

Matroni lui indique une chaise. Va tout de même remplir deux verres et ne cessera de fourguer du gin à l'autre tout au long de l'entretien.

MATRONI, *après un long moment où il le dévisage.* C'tu veux?

GILLES. Guylaine a décidé avec beaucoup de courage de réformer sa vie et de reprendre les études qu'elle avait dû interrompre trop jeune, à cause essentiellement d'un milieu familial pourri... bien, c'est une autre question; quoiqu'elle ne soit pas totalement étrangère aux circonstances qui ont fait cette nuit. *(Matroni lui lance un regard impatient.)* En bref, je ne crois pas que Bob soit un élément constructif dans la transition délicate que vit Guylaine en ce moment.

MATRONI. Tu veux?...

GILLES. Que vous usiez de votre influence auprès de Bob afin qu'il dérange pas Guylaine, alors qu'elle renoue avec des études universitaires.

MATRONI. L'Université de Montréal?

GILLES. Heu... oui.

MATRONI. Quoi qu'elle étudie, la belle Guylaine?

GILLES. Elle vise d'abord un baccalauréat assez général en sciences humaines.

MATRONI. ...

Matroni se lève, va à la fenêtre.

GILLES. Est-ce que ma requête vous semble... exagérée ?

MATRONI. Je peux pas empêcher un frère de voir sa sœur.

GILLES. Bien sûr, mais il me semble que...

MATRONI, *d'un ton légèrement menaçant.* Surtout quand tu peux me reprocher exactement ce que tu lui reproches.

GILLES. J'apprécie votre franchise, monsieur. Je sais que c'est pas une conversation facile pour vous. Mais vous êtes direct, et je sens qu'on a une bonne base de discussion.

MATRONI. C'est toi qui l'dis.

GILLES. Vous admettez que vous et Bob êtes engagés dans des activités illicites ?

MATRONI, *entre les dents.* J'ai-tu l'air d'un bibliothécaire ?

GILLES. Je vous demande pardon ?

MATRONI. J'ai-tu l'air d'un bibliothécaire ?

GILLES. Je m'excuse, je saisis pas bien où vous voulez en venir...

MATRONI. Tu me parles comme un livre.

GILLES. Oui... et ?

MATRONI. Oui... et ?

Temps. Gilles est mal à l'aise. Matroni impassible.

GILLES, *vidant le verre que Matroni lui a servi.* Je... je pourrais avoir un autre verre ?

Matroni regarde sa montre. Il sert deux verres sans dire un mot.

GILLES. Écoutez, monsieur, je ne suis pas venu ici pour instruire un procès. Je suis strictement venu pour...

MATRONI. Pour ça.

GILLES. Non...

MATRONI. Pour ça. Pour juger le gros Matroni. Dis pas le contraire. Tu voulais êt' direct, sois-lé, 'tit bonhomme. Tu penses : Matroni et Bob, c'est des criminels. Tu penses que la société est un enfer pour les gensses honnêtes et que nous autres, on se charge de pelleter le charbon dans' fournaise.

GILLES. C'est un peu réducteur comme vision, mais...

MATRONI. C'est c'que tu penses.

GILLES. Vous avez fait un choix. Vous pouvez pas demander à tout le monde de l'endosser !

MATRONI. C'que j'demande au monde d'endosser, c'est le bassin de cochonneries qu'y a en dedans d'eux autres. La prostitution, la drogue. La fraude fiscale, les crookeries, les skeams financiers, les faux billets, le meurtre...

GILLES. Mmmh...

MATRON. Tout ça, qui qu'y peut dire qu'y en a jamais rêvé ?

GILLES. Bien...

MATRONI. La seule différence entre Joe Tremblay pis moi, c'est que Joe Tremblay, lui, y a trop peur de se faire pogner pour faire de quoi, alors que moi, je sais comment faire pour passer par-dessus.

GILLES. Vous dites, en quelque sorte, que l'homme, O.K., que l'homme est EN SON FOND porté vers le crime et que seule la peur d'être puni (pogné) le retient de commettre le genre d'abominations dont vous parlez ?

MATRONI. Refill ?

GILLES. Avec plaisir.

MATRONI. De la glace ?

GILLES, *se tâtant le front.* Non merci. *(Matroni lui redonne un verre plein.)* Mon Dieu, par où commencer...

MATRONI. Shoote.

GILLES. Écoutez, je crois que Dieu, et c'est la thèse que je défends actuellement à l'Aquinas College de Boston, Dieu en tant qu'Il est l'œil omniscient, O.K., Celui qui voit tout, hein, qui connaît nos intentions et pas seulement nos actes, nos desseins les plus inavouables, oh ! oh ! eh bien ! ce Dieu est MORT. Bon, rien de nouveau, vieille nouvelle, vous allez me dire, d'accord : mais on mesure à peine, à peine, monsieur Matroni, les conséquences ÉNORMES que représente son décès dans la conscience contemporaine ! ÉNORMES ! Jamais la conscience individuelle n'a été livrée à ce point à elle-même, et ce qui est central aujourd'hui, et il faut arrêter de se mentir là-dessus, merde ! ce qui est central aujourd'hui, si je peux me permettre une formule-choc, ce qui est central, c'est le CHACUN POUR SOI !

MATRONI. ...

GILLES. Mais attention ! derrière ce chacun pour soi, il y a un nouveau monde, un nouveau continent moral ! Quelque chose d'inouï se fait entendre ! Nous vivons à la limite de deux mondes, monsieur Matroni ! Un contrat éthique débarrassé de la transcendance, c'est ça le soleil qui se lève sur le prochain millénaire ! Il y a une révolution éthique sans précédent qui se prépare, en ce sens qu'on propose aux individus de vivre avec leur conscience comme ils le peuvent. Et s'ils peuvent, comme vous et vos partenaires, soutenir un régime de méfaits et vivre à l'aise avec ça, bien fait pour eux. *(Matroni décroche le téléphone et compose un numéro.)* Mais qu'est-ce qui se profile rapidement

40

à l'horizon? Hein? Une multiplication des éthiques! Plusieurs morales! Plus de système unitaire, plus de généalogie stricte fondée sur un Père éternel! Mais plusieurs morales peuvent-elles cohabiter? *(Matroni fait* «fouille-moi» *et raccroche le téléphone.)* Sans farce, là? Je vous l'demande: une morale, est-ce que ça s'ajuste comme un veston ou des freins de voiture? Alors... La guerre de consciences?

MATRONI. Moi aussi, j'ai une conscience.

GILLES. Oui, O.K... oui. *(Il désigne la bouteille de gin.)* Vous avez pas la même chose en désalcoolisé?

MATRONI. Y a des affaires qui se font pis des affaires qui se font pas.

GILLES. Hun-hun, O.K...

MATRONI. Moi, j'suis contre qu'on touche à la famille.

GILLES. Remarquable! Remarquable! vous reconnaissez avoir vous-même une sorte de code éthique. Mais est-ce que c'est pas le drame de notre société justement, qu'il y ait un tel fractionnement de la notion de justice, de sorte qu'on peut pus parler de justice universelle?

MATRONI. J'sais pas.

GILLES. Mais est-ce que c'est pas la fin même de la notion de justice?

MATRONI. Qui a dit que la vie était juste?

GILLES. D'accord, la vie offre pas les mêmes possibilités à tout un chacun; mais au-delà de cet argument, qui est un peu — je m'excuse — adolescent... les hommes se constituent en groupes organisés justement pour tenter d'agir sur la nature des choses.

MATRONI. Tout le monde trouve son thrill dans' vie : y en a qui ramassent les timbres, d'autres qu'y enculent les mouches, pis d'autres qui montent des crookeries.

GILLES. Le thrill, oui ! Oui, c'est ça, pour vous, pour vous le crime est une sorte de transgression, une façon de retrouver une communication perdue avec le divin : une façon de savoir si Dieu répond en bout de ligne ! Le crime comme passage. Y me vient une image amusante, là !... Vous êtes une sorte de prêtre, de prêtre officiant un rite cruel, non ? C'est amusant comme...

MATRONI, *se levant*. Sacramant...

Il disparaît un moment de la chambre.

GILLES. Non, mais sérieusement, ce que je dis, ce que je pose en vérité, c'est que Dieu disparu, l'homme (et bon, bon, je suis conscient de renouer par là avec une partie de l'esprit révolutionnaire de 1789...) l'homme — et la femme, l'Homme ici est un terme générique qui englobe les deux sexes —, l'homme doit hausser sa conscience à un sommet jamais atteint auparavant dans l'histoire de l'humanité, c'est-à-dire au point où la conscience devient son propre juge, son propre procès, sa propre victime !!! *(Gilles fait une pause. On entend au fond Matroni s'envoyer un rail de poudre dans le nez.)* Pour ça, pour en arriver là, il va falloir être conséquent et agir en vertu des valeurs qu'on a intériorisées...

MATRONI, *revenant dans la pièce*. On dit la même chose...

GILLES. ... et si moi et Guylaine on a fait des choix qui sont contraires aux vôtres, y faut bien que l'un des partis s'aligne sur l'autre.

Temps. Matroni invite Gilles à s'asseoir.

MATRONI. M'as te conter l'histoire avec Steve Gaudreau.

GILLES. Steve Gaudreau, c'est...

MATRONI, *le coupant brutalement.* Ta gueule. Ta criss de gueule. Si-ou plaît.

Steve avait pas été straight avec nous autres. Steve gardait une cut sur la dope pour la revendre à son compte. Steve était directeur des ventes pour l'est de la province. J'me souviens, c'tait dans le boutte de Pâques... ça devait êt' pour ça que mon Steve marchait sur des œufs...

Il rit tout seul.

Fait que Bob était aller chercher mon Steve en pleine nuitte dans son appartement. Il l'ramène à notre bureau du port de Montréal. On était tout' là autour de Steve. Moi, Bob, pis Harry Mastata des États. Pauv' Steve, y avait pas fière allure avec son pyjama pis ses bottes de ski-doo. Y a fait l'innocent pendant quinze minutes. Pis y s'est mis à brailler, comme un bébé.

GILLES. Il regrettait d'avoir trahi votre confiance ?

MATRONI. J'pense qu'y était plus troublé par c'qu'on allait y faire. Y avait pas joué straight avec nous aut'. Ça faisait deux ans qu'y nous jouait dans le dos. Personnellement, j'étais pas pour qu'on touche au fils de Steve. Y avait un fils de Steve qui travaillait pour nous autres. Mais Mastata, y aime ça, les gros ménages.

GILLES. On peut pas faire porter par le fils la faute du père.

MATRONI. C'est pour ça que j'étais pour qu'on leste « seulement » Steve.

GILLES. Qu'on le LESTE ?

MATRONI. Oui, parce que sinon, le corps flotte.

GILLES. ...

MATRONI, *regardant Gilles dans le blanc des yeux.* Je pense que j'ai fait quelque chose de correct. Je pense pas que le fils de Steve avait à payer pour la crosse de son père. C't'une affaire de CONSCIENCE.

Temps. Gilles avale de travers.

GILLES. Monsieur Matroni, je veux insister encore pour que Bob laisse Guylaine en paix... pas besoin de lester qui que ce soit, cependant...

MATRONI. O.K., m'as faire ce que je peux pour Bob, ça parce tu m'as apporté le message. Maintenant, tu laisses monsieur Matroni se concentrer.

Il ouvre la porte et invite Gilles à sortir.

GILLES. Bien sûr ! *(En se levant, il chancelle et échappe son verre sur le tapis.)* Bon sang ! J'ai ruiné la moquette ! J'suis désolé !

MATRONI, *pressé d'en finir.* Ben non, ben non, tout est beau. Embrasse la belle Guylaine. *(Il glisse un billet de cent dollars dans la poche de Gilles.)* Tins, tu l'emmèneras au lac des Castors.

GILLES. Merci, je... j'vais mettre une note, pour qu'elle le compte dans son budget de scolarité...

MATRONI, *de plus en plus impatient.* C'est ça, dégosse, le grand.

GILLES, *s'arrêtant une dernière fois, sur le seuil.* Bonne chance tout de même, monsieur.

MATRONI. J'ai dit : dégosse.

Il referme la porte. Prend l'enveloppe. La soupèse un moment. La remet sur la table. Se sert un autre verre. Noir.

SCÈNE IV

On revient dans l'appartement de Guylaine.

GUYLAINE. T'avais besoin d'retontir icitte toé! animal!...
Si y arrive de quoi à Gilles, j'vas... j'vas t'tuer! Tu m'entends? J'vais t'tuer, Bob!

BOB, *se réveillant.* Hein?

GUYLAINE. Veux-tu quèque chose? Un verre d'eau?

BOB, *d'une voix éteinte.* Non, merci... Gilles est-tu rentré?

GUYLAINE. Non.

BOB. Y est p'têt allé coucher à son université.

GUYLAINE. C'est pas un hôtel, Bob.

BOB. Tu me diras quand y sera là...

GUYLAINE. Oui, oui.

Il sombre à nouveau.

GUYLAINE, *à la fenêtre.* J'aimerais que ça soit dimanche,
quelque part ailleurs, dans une banlieue dans une maison
avec une porte pis des fenêtres, un toit en triangle, pis des
enfants qui dorment sur le sofa; quelque chose de mou
comme dans un catalogue de chez Eaton... Garde-lé don'...
Garde-lé don', le 'tit couple. Ç'a toute la paix du monde
pis ça sait même pas quoi en faire. Qu'est-cé qui font su'a
rue à c't'heure-citte? Y savent pas que les chiens sales sont
sortis. Gilles, où-cé que té là?... R'viens tout suite! tout
suite, tout suite, tout... *(La sonette d'entrée retentit.)* Gilles!
(Elle se précipite à la porte. Gilles apparaît.) Ç'a ben été long...
y est six heures!

45

GILLES. Doux camarades, cette nuit nous aura instruits ! *(Il enlace Guylaine.)* Il fait bon dehors... Salut, camarade Bob ! *(Il frappe un grand coup sur la table, Bob sursaute. Il monte sur la table, il est passablement ivre.)* Salut à toi, bon camarade !

GUYLAINE. Comment ça s'est passé ?

GILLES. On a eu un échange vraiment intéressant ! On a laissé en suspens certains points, le temps nous pressait, mais... c'était assez intéressant comme premier contact.

GUYLAINE. Comme dernier aussi.

BOB. Tu y as donné l'enveloppe ?

GILLES. Une enveloppe, oui.

BOB. Comment ? Oui ou non ?

GILLES. Je lui ai laissé le message. À lui de l'interpréter.

BOB. Ostie d'gigon.

Bob fait signe qu'il en a assez entendu. Il replace la débarbouillette sur ses yeux.

GUYLAINE. Veux-tu quelque chose ? Une bière...

GILLES. Avec plaisir !

GUYLAINE. T'as bu, toi...

GILLES. On a, pour ainsi dire... heu... taquiné le gin.

GUYLAINE. Du fort... Gilles, t'es pas habitué, tu devrais faire attention...

GILLES, *allant à la fenêtre.* Quel vide !

GUYLAINE. Qu'est-ce que tu dis ?

GILLES. Je dis : quel vide ! Immensité... quand j'étais petit, je me souviens d'un oncle de ma mère qui me racontait comment les étoiles arrivaient dans l'espace... tous les soirs, il m'avait dit, y a quelqu'un, on sait pas trop qui... qui prend toutes les étoiles dans sa main, les brasse comme des dés et les jette dans le ciel, d'un coup! C'est pour ça qu'à chaque nuit, les étoiles sont pas tout à fait à la même place que la nuit précédente, et que, des fois, y a de ces étoiles qui tombent sur la terre, jusque dans les yeux des petites filles comme toi, ce qui explique qu'elles aient le regard si brillant...

GUYLAINE, *émue*. Gilles... C'est dommage que le ciel soit couvert : on en voit pas d'étoiles...

GILLES. Je me demandais qui ça pouvait être qui lançait les étoiles comme ça... et si OUI, pourquoi?

GUYLAINE. Comment?

GILLES. « Si oui, pourquoi? »

GUYLAINE. Non, mais, Gilles, tu demandais «qui» ça pouvait être! Pas quelque chose qui peut se répondre par oui ou par non...

GILLES. C'est merveilleux de te retrouver.

GUYLAINE. Oui! J'aurais préféré que Bob vienne pas nous écœurer avec ses histoires croches.

GILLES. Au contraire.

GUYLAINE. Qu'est-ce qu'y s'est passé avec le gros Matroni?

GILLES. On a papoté. Entre autres, je lui ai demandé que Bob ne te dérange pas dans tes nouveaux projets.

GUYLAINE. T'as pas à être mêlé à ça, Gilles! Ce monde-là... ce monde-là doit pas exister pour toi! Tu... t'as pas idée comment leur vie est cheap, comment...

GILLES. C'est le cœur qui manquait.

GUYLAINE. Oui... y a pas d'place pour l'âme dans leur monde. 'Sont pas des hommes, 'sont des animaux.

GILLES. On croit s'emparer du monde toujours un peu plus à chaque jour ; on pense pénétrer la réalité jusqu'à son cœur battant, en fait, on reste de bois...

GUYLAINE, *doutant qu'on parle ici de la même chose.* ... ces gens-là ont une planche à pain à la place du cœur.

GILLES, *remontant sur la table.* Non, moi ! moi ! Moi, Guylaine ! C'est moi qui vivais ailleurs ! Mais cette nuit, cette nuit... J'ai pris la mesure de cette vie, qui était déjà un rêve bouleversant, mais qui devient par un simple geste la véritable aventure de la vérité !

GUYLAINE. Gilles, qu'est-ce qui se passe ?

GILLES, *hurlant.* Il suffit plus de penser le monde, Guylaine ! Il faut le prendre à bras le corps et lui river les épaules aux étoiles !

GUYLAINE Mais pourquoi tu dis que t'as pas de cœur ?

GILLES. Parce que... parce que mon herméneutique avait pas encore rencontré son principe d'application !

On entend une automobile freiner brusquement.

GUYLAINE. ... son principe d'application... *(Saisie d'une idée troublante.)* J'aime mieux pas savoir c'que ça veut dire en français... Gilles, qu'est-ce qu'y s'est passé chez monsieur Matroni ? Hein ? Dis-moi...

GILLES. Les vrais crimes ont leur origine dans la paresse du cœur... Guylaine : la vraie pensée est action.

Matroni entre en coup de vent, très agité.

MATRONI. Bob !

BOB. Patron ?!

MATRONI. Bob!

BOB. Oui.

MATRONI, *lui mettant l'enveloppe sous le nez.* L'enveloppe...
ça venait ben de toé?

BOB. Oui.

MATRONI. C'était supposé être les noms des gars qui
focaillent dans not' dos?

BOB. Mais oui?

MATRONI, *montrant une page blanche.* Y a rien dessus.

BOB. Hein?

MATRONI. Y a pas de nom dessus! C'est ben l'enveloppe
que Gilbert t'a remis?

BOB. Oui.

MATRONI. T'as pas joué dedans?

BOB. Non! C'tait à vous de faire ça! J'me serais jamais
permis!

MATRONI. Es-tu sûr que Gilbert nous a pas crossés?

BOB. Sûr! Y s'est fait tirer pour ça! *(Matroni s'avance vers Bob,
menaçant.)* Patron M'sieur Matroni... j'vous jure!

MATRONI. Jure pas...

BOB. J'vous promets, j'ai pas ouvert l'enveloppe!

*Matroni contemple l'enveloppe un moment puis jette un regard
du côté de Guylaine.*

MATRONI. Scotch. *(Guylaine obtempère. Elle s'apprête à donner
le verre à Matroni quand celui-ci jette:)* Avec glace. *(Guylaine
la trouve moins drôle, mais satisfait à la demande de Matroni.
De nouveau:)* Un tiers d'eau.

GUYLAINE. Hey !

BOB, *entre les dents.* Guylaine, criss, donnes-y.

Guylaine s'exécute. Donne le verre à Matroni.

GUYLAINE. Buvez ça, ça va me faire du bien.

MATRONI. Merci, ma belle.

BOB. Patron, j'vous le dis, j'ai pas touché à rien : Gilbert m'a donné l'enveloppe avant de se faire descendre, pis lui... *(Il désigne Gilles.)* ... vous l'a livrée, parce que j'avais peur que les gars de l'aut' clique m'ayent repéré... c'est ça...

Matroni regarde Guylaine.

GUYLAINE. C'est ça.

Matroni sirote son scotch, il réfléchit.

MATRONI. Bob a reçu l'enveloppe. Y a pas touché. Gilles l'a livrée à ma chambre. C'te nuitte.

BOB. C'est ça.

MATRONI. C'est ça.

BOB. C'est ça.

MATRONI. J'ouvre l'enveloppe où que yé s'posé avoir les noms des gars qui nous ont double-crossés, j'trouve rien. C'est ça ?

BOB. C'est ça.

MATRONI. C'est ça. *(Il lance une chaise contre le mur. On s'attend à une explosion verbale du diable, mais il émet seulement un bref :)* S'tie.

GUYLAINE. Hey ! Ma chaise !...

BOB. M'as te la payer, Guylou.

GUYLAINE. T'en as l'air d'un paiement, toé !

MATRONI, *furieux*. Y a quelqu'un icitte qu'y a arrosé la place avec d'la marde, Bob! Tu me fais des tresses dans' nuque...

BOB. Non, boss!

MATRONI. Bob, j'm'attendais pas à ça de toi...

BOB. J'ai rien fait, boss! J'ai... j'ai... j'ai...

MATRONI. Pourquoi, Bob? J't'ai pas ben traité? J't'ai pas traité comme mon propre fils?

BOB. Patron, j'vous jure... j'vous promets! J'ai rien à voir là-dedans!

Matroni s'avance vers Bob. Le fait reculer jusqu'à une chaise, le force à s'asseoir.

MATRONI. T'étais rien qu'un petit bum de ruelle, avec tes deux couilles dans ta poche de jacket, quand j't'ai ramassé. T'étais mort, MORT !!! J't'ai donné la vie. Quand t'es sorti de prison, j't'ai donné ton premier char volé; quand t'as voulu placer Guylaine, j'y ai-tu trouvé une job? *(Guylaine fait signe que oui. Matroni se penche sur Bob.)* Comment tu m'remercies, aujourd'hui? Hein? HEIN !!! mais Bob, là, c'est ta peau aussi, qu'y veulent faire des ceintures avec... à moins que tu te soyes arrangé avec eux autres...

BOB. Monsieur Matroni, j'vous assure, j'ai pas rien fait de crosse...

Matroni reste un moment figé, les yeux fixés sur un point situé au-dessus de la tête de Bob. Gilles croit le temps venu d'intervenir.

GILLES. Monsieur Matroni, en aucun cas Bob est impliqué ici dans un «fait de crosse».

MATRONI. En français, bonhomme! Je me sens pas de patience pour la traduction c'te nuitte.

GILLES. Bob n'est pas le crosseur dans cette affaire.

MATRONI. Étends-toi. *(Bob se lève pour aller s'étendre...)* Mais non, pas toé, estie d'cave...

GILLES. Je vous demande pardon ?

MATRONI. Continue !

GILLES, *avec une gravité affectée.* C'est moi qui ai substitué le contenu original de la lettre.

Matroni lâche Bob. Celui-ci pousse un discret «thank you, Jesus». Matroni se tourne légèrement vers Gilles.

MATRONI, *bas, presque inaudible.* Ousqué la première feuille qu'y avait dans l'enveloppe ?

GILLES. Je vous demande pardon ?

MATRONI. LA FEUILLE AVEC LES NOMS, OÙ C'EST QU'ELLE EST ?

GILLES. O.K. J'attendais la question.

GUYLAINE, *avec du désespoir dans la voix.* Gilles, Gilles... mon chéri... mêle-toi pas à ça ! Donne le premier papier.

GILLES. Deux choses : 1. j'ai pas le contenu de la première lettre en ma possession ; 2. même si je l'avais, je vous le donnerais pas.

BOB. Petit tabarnak !

GILLES. O.K. Je brosse un tableau rapide de la situation : Bob me demande de livrer un pli qui, manifestement, met en jeu la vie de deux individus : ai-je la droit moral de penser que j'aurais en rien trempé dans le meurtre de ces deux hommes en prétextant que je ne suis qu'un messager ? Non, je ne PEUX PAS. Vous avez pas à blâmer Bob, monsieur Matroni : je suis le seul responsable de vos ennuis.

MATRONI. Hey, « le livre », je sais pas c'que tu cherches au jusse, ni pour qui tu travailles... mais j'te prie de me croire, tu joues pas dans la même ligue que nous autres : rends-moi le papier, pis on en parle pus. Mais tu' suite. MAINTENANT.

GUYLAINE. Gilles, dans ton intérêt, dans notre intérêt à tous les deux, donnes-y c'qu'y veut. On a pas à êt' mêlés à ça. Y règlent leurs comptes entre eux aut', ça nous r'garde pas !

GILLES. Y s'agit pas seulement de NOTRE intérêt, Guylaine...

BOB. M'as le dézipper, moé !

GILLES. Tu dis que tu m'aimes, Guylaine. Pourquoi ?

GUYLAINE. Tu parles d'une question à c't'heure-citte ! ?

BOB. Réponds-y, qu'on finisse !

MATRONI. Je sais pas moi non plus pourquoi tu l'aimes, mais tu dois l'aimer gros en si vous plaît...

GUYLAINE. Vous pouvez pas comprendre... c'est comme ça !

GILLES, *emporté*. Non, c'est pas juste « comme ça » ! Tu m'aimes parce que tu sens intimement que ma façon d'être, que mon être est en concordance avec mes actes ! parce que je fais, j'agis selon mon être le plus intime. Guylaine ! Nous sommes déjà quelques-uns à refuser l'état de fait, le compromis qui veut que les choses « sont pourrites » et qu'il faut s'en arranger du mieux qu'on peut... Si beaucoup d'entre nous se sentent à bout d'âge à trente ans, emmaillotés dans le voile d'indifférence dont la vie a précocement raidi leur corps, d'autres sentent au contraire que tout peut bouger à nouveau...

Matroni s'approche de lui et pousse un retentissant HEY!!! *... au visage de Gilles. Celui-ci marque une légère pause et continue :*

GILLES. ... on peut pas d'un côté dire que nous défendons certaines valeurs et, de l'autre, feindre qu'elles soient réellement...

Même jeu de Matroni.

GILLES. ... réellement respectées. Tout le monde est contre la pègre, mais personne ne veut se commettre...

Matroni sort un revolver qu'il applique sur la tempe de Gilles.

MATRONI. Ta gueule!!! Ta criss de gueule!!!

GUYLAINE. Gilles! Tais-toi!

Un moment de suspense.

MATRONI, *à l'oreille de Gilles.* Les oreilles me sifflent depuis assez longtemps, mon petit bonhomme. Veux-tu l'entendre mon sifflet à moi? Donne le papier.

GILLES, *dans un souffle.* Vous tirerez pas.

MATRONI. À cause?

GILLES. Si vous me liquidez, j'emporte avec moi le secret.

MATRONI. Et en échange du «secret»...

GILLES. Que Bob laisse Guylaine entreprendre sa nouvelle vie sans la gêner.

BOB. *Man*, c'est fait! C'est fait!

GILLES. Et que vous vous rendiez aux autorités pour servir de témoin à charge contre vos collaborateurs, en échange de quoi, j'en suis sûr, le ministère public sera clément. C'est une pratique courante aux USA.

MATRONI. Hey, Bob...

BOB. Oui?

MATRONI. Sais-tu comment sa mère a senti qu'a était enceinte de lui ?

BOB. Oh boy !

MATRONI. A' avait une écharde dans le pied qui a' fatiguait depuis neuf mois.... Écoute, ti-gars, ch'us un peu vieux pour refaire ma vie. De toute façon, les bureaux du ministère sont fermés à c't'heure-citte.

GUYLAINE. Gilles, que cé qu'tu veux faire ? Hein ? Tu peux pas te battre à toi tout seul contre le crime organisé !

GILLES. Jamais entendu parler de l'effet papillon ?

MATRONI. Non, mais...

GILLES. On dit que le battement d'ailes d'un seul papillon à l'autre bout du monde suffit à perturber le climat d'un continent entier !

GUYLAINE. Qui dit que t'es ce papillon-là, hein ? *(Temps.)* Quelle ciboire de conversation on est en train d'avoir là... Gilles, j't'en prie ! Gâche pas tout, reviens avec moi... demain y va faire beau, on va aller marcher ensemble sur Saint-Denis... on va aller voir les livres si tu veux, chez Champigny. C'est du petit bonheur, je sais, mais c'est déjà un pas en dehors de l'enfer !

BOB. C'est de l'argent que tu veux ?

GILLES, *criant.* Il y a pas de monnaie d'échange pour l'estime de soi ! On a des principes et on les défend, ou bien on a pas de principes et on est pas libres !

GUYLAINE. J'comprends que tu veuilles protéger la vie de ces hommes-là. Mais si en faisant ça tu risques que d'autres meurent, qu'est-ce que t'as gagné ? Si mon frère se fait tirer dans le dos demain matin... sans parler de toi pis moi ! Y ont peut-être déjà repéré la place à l'heure qu'il est.

MATRONI. Tu voulais pas être complice de rien, O.K.: dis-nous seulement où est le papier, on le reprend, t'as rien transporté, m'as me livrer moi-même le papier.

GUYLAINE. Tu peux rien empêcher! Y sont dus pour se tirer les uns les autres.

BOB, *criant*. Donne le papier, maudit gosseux!

GUYLAINE et MATRONI. BOB!!

MATRONI, *à Bob*. Bob, ferme ta gueule! Ostie, t'as pas de classe! Comporte-toi, calice! *(Se tournant vers Gilles.)* Toute ça, c'est un mauvais moment qui demande jusse à finir... en échange du papier, Bob laisse Guylaine tranquille...

BOB. C'est sûr!

GILLES. Si quelqu'un vous menace, pourquoi pas en parler à la police?

MATRONI. O.K., écoute: j'ai une connexion dans la police au quartier général. J'vais lui donner les noms. Mais ça me les prend tu' suite, MAINTENANT! sinon je sais pas qui, quand, va m'envoyer su' l'mont Royal... *(Gilles ne répond pas. Ça déclenche la fureur de Matroni.)* Écoute ben, ma criss de face de brosse à dents!!! Je veux dire ostie veux-tu ben m'dire à quoi t'as pensé, toé, tabarnac! hein!? Tu pensais-tu qu'on était dans une vue, toé, calice? J'ai-tu l'air d'un cartoon, moé, criss! hein? Hein? Bob!

BOB. Oui?

MATRONI. J'ai-tu l'air d'un cartoon, moi, criss? Hein?!

BOB. Estie...

MATRONI. Hein!!??

Gilles semble prêt à s'évanouir. Matroni lui colle le canon du revolver sous le nez.

GUYLAINE, *apaisante*. Monsieur Matroni, enlevez-y le gun dans 'face, vous voyez ben qu'y va perdre connaissance...

MATRONI. Guylaine, ma chérie : le but de l'affaire, O.K., le but de la patente, O.K., c'est que le gars qu'y a un gun dans' face, le but, c'est qu'y trouve pas ça le fun. Le but, c'est qu'y trouve tellement pas ça le fun qu'y en vienne à demander après sa mère pis à dire c'qu'on veut qu'y dise... J'me suis-tu assez suivi là?...

On entend une automobile qui freine à l'extérieur. Bob se précipite à la fenêtre.

MATRONI. Que cé?

BOB. Un char.

MATRONI. Je l'sais ça, criss de zouave! Qui cé qu'y est dedans?

BOB. Un homme seul.

MATRONI. Qué cé qu'y fait?

BOB. Rien, y fait rien... Y lit le journal.

Matroni entraîne Gilles à la fenêtre.

GILLES. Mais?...

Il cache sa surprise tant bien que mal.

MATRONI. Tu connais le gars?

GILLES. Non. J'ai cru... mais non. Formel.

MATRONI, *ramenant Gilles à la table et le faisant s'asseoir*. En toué cas, si tu m'as monté une crosse avec les bœufs... m'as te faire regretter tes plus mauvais souvenirs.

GILLES. Monsieur Matroni, je me rends à vos arguments et j'agrée à votre proposition.

MATRONI, *agacé*. En français, ti-gars, en français.

GILLES. J'ai mis le contenu original de l'enveloppe dans une autre enveloppe que j'ai jetée dans une boîte aux lettres.

BOB. Hein ? Pour où ? Pour où, la lettre !

GILLES. Comme j'avais pas de timbre, je l'ai envoyée au Solliciteur général à Ottawa. Avec une note explicative.

BOB. Ottawa ! Ottawa ! Shit, shit, shit, shit !

GUYLAINE. Voyons, Bob, la lettre est encore là. Y a pas de levée de courrier avant sept heures le matin.

MATRONI. Quelle boîte ?

GILLES. À côté d'ici. Coin Laval et Henri-Julien.

BOB. Good ! *(Temps.)* Non ! Non ! C'est ps un coin ! Laval et Henri-Julien, c'est pas un coin ! Apprenez-vous quèque chose entre deux sucettes à l'université ? Hein ?!

GUYLAINE. Bob ! Crie pas d'même !

GILLES. Excusez le flottement... c'est plutôt Laval et des Pins.

MATRONI. Va chercher la boîte, Bob.

BOB. Toute la boîte ?

MATRINI. Oui, TOUTE la boîte, estie ! Ça se défait pas en morceaux, une boîte à malle, calice !

BOB. Laval et des Pins.

Il sort.

MATRONI. Guylaine, la nuitte demande à veiller encore un boutte, va nous chercher des sandwichs pis du café chez le Grec.

GUYLAINE. Hey ! Ch'us pas ta bonne ! Allez les chercher vous-mêmes, vos cretons !

MATRONI, *s'approchant menaçant.* Guylaine, ma chouette : y a un temps de la journée pour les affaires de féminisse, pis un temps où faut que les affaires roulent. Là, faut que les affaires roulent. Faut que je reste avec monsieur icitte. Fait qui reste qui pour aller aux sandwichs ? Y reste toé pour aller aux sandwiches. À moins que tu veuilles que j'décalice tout' dans' place.

GUYLAINE. Non ! Non ! Donnez-moé d'l'argent... Si-ou plaît, monsieur Matroni. *(Matroni s'exécute.)* Je reviens, Gilles, bouge pas.

MATRONI. Compte sur moi.

GUYLAINE, *à Gilles.* Aiguise-le pas trop.

Elle sort. Matroni va à la fenêtre.

MATRONI. Le gars est parti... Son char est toujours là. T'es sûr que tu le connais pas, c'gars-là ?

GILLES. « De l'aigle qui t'invite à la suivre, tu choisis le vol inverse. »

MATRONI. De quoi tu parles ? Tu l'connais, le gars en bas ?

On cogne à la porte. Matroni se fige. Il sort son arme, se plaque contre le mur près de la porte.

MATRONI, *à Gilles, dans un souffle.* Ouvre !

Un homme d'environ cinquante-cinq ans, un peu éméché, souriant, apparaît. C'est Robert Larochelle, le père de Gilles.

LAROCHELLE, *à Gilles.* Es-tu couché?

GILLES, *très nerveux.* Oui... Je dors profondément.

Temps.

LAROCHELLE. Es-tu réveillé, maintenant?

GILLES. Un peu.

LAROCHELLE. Moi, je suis très réveillé, vu l'heure tardive. Bon, je veux pas risquer de gâcher ton sommeil, alors je te laisse. Je te rappelle demain.

GILLES. C'est bien.

MATRONI. Oh! C'est quoi, la game, là? C'tu un code, ça?

LAROCHELLE. Monsieur?...

MATRONI. Tabar...

LAROCHELLE, *l'interrompant.* Robert Larochelle. *(À Gilles:)* C'est ici que tu habites?

GILLES. Non, mon amie.

LAROCHELLE. Ah oui! Ta mère m'a dit... *(Temps.)* Les études vont bien?

GILLES. Elles se plaignent pas trop... Papa, je crois que je vais me rendormir. Je te rappelle plus tard aujourd'hui, si tu veux.

LAROCHELLE. D'accord.

Il s'apprête à sortir, mais Matroni s'interpose.

MATRONI. Y a personne qui sort.

LAROCHELLE. Qu'est-ce qui se passe ?

GILLES. Monsieur Matroni et moi... on est en... négociation.

LAROCHELLE. Je croyais que vous dormiez.

MATRONI. C'est quoi ces affaires de dormage là ? On a-tu un oreiller d'imprimé dans l'front ? À part ça, comment ça se fait que tu savais que j'étais icitte, toé ?

LAROCHELLE. Je ne savais pas que vous étiez là. Mon fils m'a laissé l'adresse ici. Au lieu de venir chez moi, il me laisse des numéros de porte à travers le continent. Il m'évite. Pour être en paix avec sa conscience, il me laisse des adresses. Ceci étant dit, je vous laisse à vos négociations. Je repasserai pour le dîner, Gilles ?

MATRONI. Pourquoi t'as attendu dans ton char avant de monter icitte ?

LAROCHELLE. J'étais sûr que tout le monde dormait. J'allais repartir mais j'ai vu des ombres à la fenêtre.

MATRONI, à Gilles. Que cé qu'y sait ?

GILLES. Rien, je vous assure. Relâchez-le.

LAROCHELLE. « Relâchez-le » ! En voilà un langage !

MATRONI, à Larochelle. Envoye ! Va-t'en ! Va-t'en !

LAROCHELLE. Je vous laisse vous recoucher...

Larochelle sort. Matroni va à la fenêtre pour surveiller le départ de Larochelle.

MATRONI. Que cé qu'y venait faire là, lui ?

On cogne à la porte.

MATRONI. C'est qui... c'est qui ?

BOB. C'est moi, boss ! Bob !

Bob entre, portant péniblement sur un diable une boîte aux lettres de la Société canadienne des postes ; Robert Larochelle lui vient en aide.

LAROCHELLE. Désolé de vous réveiller à nouveau. Force est de constater que la nuit a pris pour vous des allures de grand matin !

Ils déposent la boîte sur le plancher.

BOB. Comment ça s'ouvre, c'te boîte-là ?

MATRONI, *à Larochelle.* Y me semblait qu'on t'avait dit qu'on recevait pas !

LAROCHELLE. Très juste. Je me retire. Mais je doute que vous vous rendormiez.

Guylaine entre à ce moment avec les provisions... et une bouteille de gin.

LAROCHELLE. Oh ! la cantinière avec le déjeuner !

GUYLAINE. T'en as l'air d'un déjeuner ! C'est qui, c'te gigon-là ?

GILLES. Papa, je te présente ma nouvelle amie, Guylaine.

GUYLAINE, *après un court temps.* Bon, je suppose que je devrais me sentir mal ?

LAROCHELLE. Je vous en prie, restez vous-même.

Guylaine dépose les paquets sur la table. Bob a pris un couteau de cuisine et tente de forcer la boîte.

GUYLAINE. Hé ! Mon couteau !

BOB. Ce sera pas long... *(Ce disant, le couteau se brise.)* Simonac...

GUYLAINE. T'auras jamais si bien dit, maudit gigon.

MATRONI. On va y ouvrir la trappe, comptez sur moi...

LAROCHELLE, *à Gilles.* C'est un rite secret? Un sacrifice? Tu es le pasteur d'une nouvelle secte? Vous cherchez le cinquième évangile?

GILLES, *entraînant son père à l'écart.* Les deux individus derrière nous sont deux criminels.

LAROCHELLE. Ah oui? Pour quel ministère travaillent-ils?

GILLES, *agacé.* Écoute, papa, par un hasard de circonstances, je me suis retrouvé au centre d'une situation où la vie de deux hommes est en jeu. C'est une enveloppe contenant les noms de ces deux gars-là qu'ils veulent. Pour les éliminer.

LAROCHELLE, *recevant un sandwich des mains de Guylaine.* Est-ce que je m'avance trop en affirmant que tu t'es mêlé de ce qui ne te regardait pas?

GILLES. Oui. Parce que je me suis mêlé de choses QUI ME REGARDENT, qui me regardent avec leurs yeux de taupe dans le remugle pourrissant de la ville.

LAROCHELLE. Tu me donnes froid dans le dos.

GILLES. Je serai pas la laine de ta vieillesse.

LAROCHELLE. Mon fils, celui qui se mêle de choses qui ne le regardent pas est toujours le plus aveugle.

GILLES. Quand nous trébuchons sur la dignité de nos semblables, eh bien, à tâtons, nous la relevons.

LAROCHELLE. Comment as-tu attrapé ton « nous »? Je pensais la maladie éradiquée depuis longtemps.

GILLES. Je croyais la nuit assez remplie sans que tu y ramènes ton ironie de préretraité.

LAROCHELLE. Je venais éprouver ce qu'on appelle le sentiment paternel.

GILLES. Pour savoir si ça s'applique à ton cas?

LAROCHELLE. Oui. Et vice versa, non?

GILLES. Non. Je me suis jamais senti un père pour toi.

On entend un cri de satisfaction venant de l'arrière: la boîte est ouverte, et Bob répand un flot de lettres sur le plancher.

MATRONI, *à Gilles*. Hé, le jeune! Qu'est-ce qu'y a sur l'enveloppe?

GILLES. Le nom du destinataire.

MATRONI, *à Bob*. Cherche ça.

LAROCHELLE, *souriant*. Vous avez l'embarras du choix.

GUYLAINE. Non! Y veut dire... c'est une lettre sans timbre! Cherchez-en une qu'y a pas de timbre...

LAROCHELLE. Un cri silencieux.

MATRONI. Allez-y.

LAROCHELLE, *à Guylaine*: Cette bouteille est-elle pour la visite?

GUYLAINE. Non, non... Servez-vous.

LAROCHELLE. ... Parce que j'avais prévu ma propre ration. *(Il sort une flasque de sa poche intérieure. Il boit.)* Mes doux amis, puis-je obliger quelqu'un en servant gin et tonic?

MATRONI, *un peu méfiant*. O.K.

Guylaine apporte une bouteille de tonic water. Larochelle prépare un gin pour Matroni.

LAROCHELLE. Ça fait longtemps que vous connaissez mon fils?

MATRONI. Assez pour le regretter.

LAROCHELLE. *Mea culpa !* Et vous, monsieur... ?

MATRONI. Matroni, mon nom.

LAROCHELLE. ... vous êtes dans les affaires ?

MATRONI. Y paraît.

LAROCHELLE. Ce serait indiscret de vous demander quelle sorte de bière vous brassez ?

MATRONI. C't'une image, ça ? Hein ?

LAROCHELLE, *rassurant.* Oui.

MATRONI. C'est déjà moins chinois que l'aut' là... J'opère quelques clubs ainsi que leurs facilités.

BOB, *s'exclamant.* Je l'ai ! Je l'ai !

Gilles ne bronche pas.

MATRONI. Donne ! *(Il ouvre fébrilement l'enveloppe.)* Que cé ça ?! C't'une lettre...

LAROCHELLE, *qui a mis ses verres de lecture.* Vous m'étonnez...

MATRONI, *lisant.* ...« *I am hot for your bulging cock* »... *(Menaçant, vers Gilles :)* Tu te foutres-tu [*sic*] de ma gueule ?

GILLES, *bafouillant.* C'est pas de moi. C'est une vraie lettre. Quelqu'un a oublié de l'affranchir. De toute façon, je l'ai adressée...

LAROCHELLE, *venant à son aide.* Je ne reconnais pas l'écriture de Gilles. Pas plus que son style d'ailleurs, qui est nettement moins coloré que dans ce cas-ci...

MATRONI, *à Bob.* Envoye ! Active !

BOB. Guylaine, aide-moi, grouille !

Bob et Guylaine retournent à la boîte aux lettres.

MATRONI, *à Bob et Guylaine.* Embrayez, ciboire! On a pas toute la semaine!

LAROCHELLE, *après un long moment.* S'tie de soirée plate, hein? Mon fils est le représentant exemplaire d'une génération dont la pensée sociale a vraiment dérapé. Depuis trois siècles, les Québécois ont eu un sens du concret étonnant, durable; une bonne grosse souche terrienne lestait leur esprit comme il faut. Mais avec le progrès matériel, les esprits se libèrent peu à peu, et la pensée peut se livrer en paix au sport de l'abstraction et de la politique... ça donne la marde que vous savez... On aurait le goût de crier avec le grand timonier : à la ferme! à la ferme!

MATRONI. Simonac, deux vrais moulins à mots...

LAROCHELLE. Vous êtes d'ascendance italienne?

MATRONI. Ouais. Par mes parents.

LAROCHELLE. C'est vrai? Beau pays, l'Italie. À l'âge de Gilles, au lieu, comme lui, d'user ma cornée sur des textes abscons, j'avais concocté un petit numéro de chansons italiennes qui, ma foi, ne détournait pas les jeunes filles de ma personne. *(Vers Gilles.)* Mais la chanson italienne et les jeunes filles n'ont pas grand-place dans l'œuvre de saint Thomas d'Aquin, n'est-ce pas, Gilles?

MATRONI. T'es chanteur?

LAROCHELLE. Non! Avocat. C'est comme chanteur, mais la musique en moins. *(Il chantonne.) La ci darem la mano...* (*Extrait du* Don Giovanni *de Mozart.*) Sans oublier : *He companero!...* [*ad lib.*]. Ici, aidez-moi! Vous dites *rinfreschi* ou *rinfrescheti*?

MATRONI, *excédé.* J'parle pas italien, j'parle pas italien!

LAROCHELLE. C'est vrai? Dommage. Vous avez encore des tours de chant dans vos clubs? Je détesterais pas reprendre du service...

MATRONI. Vous êtes avocat, vous m'avez dit? Avocat d'la défense...

LAROCHELLE. Hun-hun.

MATRONI, *son visage s'illuminant.* Maître Larochelle! C'est ça, hein? C'est bien vous qui avez plaidé l'affaire Desmarteaux?

LAROCHELLE. Oui. Un assassin coloré.

MATRONI. Enchanté, enchanté, cher maître! Un gros dossier vous avez fait' là...

LAROCHELLE. Je vous remercie.

MATRONI. On a suivi ça dans les journaux... Un gros match, maître, un gros match.

LAROCHELLE. Vice de procédure. C'est ce que je dis toujours aux jeunes: regardez d'abord comment les travaux d'approche se sont faits; un faux pas est si vite arrivé.

GILLES. La grande amicale véreuse...

Guylaine et Bob s'agitent en arrière-plan.

GUYLAINE. Bob! Que cé tu fais, épais! Je l'ai déjà vérifiée, cette pile-là!

BOB. Shit!

MATRONI. Achevez-vous, icitte?

BOB. Ça s'en vient, boss.

GUYLAINE. Ça fait vingt minutes qu'y passe derrière moi!

MATRONI. Y me semble que ça prend pas un diplôme d'ingénieur pour faire ça !

LAROCHELLE, *à voix basse.* Ça fait combien d'heures que tu es à Montréal, Gilles ?

GILLES. Je sais pas. Quand je te vois, j'ai la sensation d'être dans un épisode de *Star Trek.*

LAROCHELLE. En quelques heures, si j'en juge par le foutoir actuel, tu as réussi à mettre à mal une puissante organisation criminelle ?

GILLES. Un soupçon d'ironie dans ta voix...

LAROCHELLE, *chuchotant.* Rassure-toi... tu es dans le bas de gamme. *(Il désigne Matroni.)* Lui, c'est un pion de Frank Boyd, gang de l'Ouest. Qu'est-ce qui te prend ? Tu t'ennuies à l'école ?

GILLES. Si tu as décidé de finir ta vie comme un dromadaire, à te faire bourrer de poudding au riz par une Costaricaine louée avec les honoraires que te verse le tout-Montréal de l'évasion fiscale, libre à toi !

LAROCHELLE. Par tous les saints de l'enfer, quel réquisitoire ! Dromadaire, esclavagiste, avocat véreux... mon fils, avec les années, tu es devenu encore plus rêche que ton maître à penser.

GILLES. ...

LAROCHELLE. Saint-Just. Le petit limaçon qui faisait trancher la tête à ceux qui avaient trop l'esprit en colimaçon... P'tit puritain d'abattoir... *(Il prend Matroni à témoin.)* À l'âge où les autres garçons atteignent la puberté et découvrent les joies de la masturbation, mon fils, lui, écrivait des lettres d'insultes au ministre des Finances !

MATRONI. Pourquoi ?

LAROCHELLE. Trop d'abris fiscaux !

MATRONI. C'est malade !

LAROCHELLE. Je sais ! Je pensais que ça passerait... il avait reporté sur les budgets de la province ce qu'il aurait dû dépenser en attouchements solitaires.

Temps où Gilles et son père se regardent en silence...

GUYLAINE. Toutes les lettres sont timbrées.

MATRONI. Vérifiez encore.

GUYLAINE. J'vous l'dis !

MATRONI. Taboire, m'a-tu-falloir que je le fasse moi-même !

GUYLAINE. C'est votre vie qui est en danger, après tout' !

MATRONI. Innocente ! Tu sais pas comment ça se passe dans' patente ! Les gars rentrent pis y arrosent TOUTES les fleurs dans 'a pièce ! Je t'assure qui font pas du gros jardinage ! Envoye, gnochonne !

Il classe les lettres avec Bob et Guylaine. Larochelle grimace de douleur à l'abdomen...

LAROCHELLE, *à Gilles.* Même si cela heurte mes principes, j'en viens à te souhaiter de souffrir.

GILLES, *cinglant.* Parce que toi, tu souffres peut-être... Ah oui, c'est vrai, vous vous réunissez, toi et tes amis, à Bromont tous les week-ends, et en regardant décliner le soleil sur le golf, vous comptez vos blessures... comme maître des souffrances, tu fais plutôt fakir ! Bah ! Si Imelda est excitée par les corps burinés par les dures plaidoiries du palais de justice, surtout quand le linceul vient de chez Hugo Boss, libre à elle d'aller exercer sa nécrophilie.

LAROCHELLE. Dis-moi pourquoi les jeunes hommes ne supportent pas de voir des jeunes femmes avoir du plaisir avec des pénis vétérans ?

GILLES. Sais pas... une peur obscure que la nécrose soit contagieuse.

LAROCHELLE. Être susceptible, je pourrais trouver tes propos désobligeants.

GILLES, *sarcastique*. Toi, susceptible ? T'es tellement détaché... À quoi bon t'en faire, hein ? Il y a rien que le bon quota d'alcool et le degré actuel de pourriture des choses peut pas arranger, pas vrai ?...

LAROCHELLE, *à Guylaine qui les a rejoints, laissant les deux autres fouiller le tas de lettres*. C'est le divorce de ses parents... il a construit là-dessus une formidable idée d'apocalypse.

GUYLAINE, *sans l'entendre*. Gilles, as-tu vraiment jeté l'enveloppe dans la boîte à malle ?

GILLES, *à son père*. Quel insupportable cliché !

LAROCHELLE. Peut-être que je m'avance un peu trop...

GUYLAINE. Gilles, réponds ! Ça commence à urger !

Elle retourne à la boîte aux lettres.

GILLES, *très agité*. Votre divorce n'a rien à voir dans les circonstances qui ont fait cette nuit !

LAROCHELLE, *sévère*. Mon fils, il y a des hommes qui entrent dans la vie avec quelque chose comme un trou au fond du cœur. Une bonne partie de leur vie, ils construisent au-dessus de ce trou des édifices... à la mesure du trou qu'ils portent dans le cœur !

GILLES. Et que font-ils l'autre partie de leur vie ? Une fois en haut ?

LAROCHELLE. Ils redescendent vivre dans la cave de l'édifice, près du trou, et ils regardent avec ÉTONNEMENT l'abîme qui les a fait monter si haut !

GUYLAINE, *revenant.* Gilles ! T'as pas mis l'enveloppe dans la boîte, hein ?

GILLES, *s'emportant.* Bien coulé dans les privilèges, ça regarde le train du monde et ça dit : à quoi bon vous agiter ? Le monde est ainsi fait, on n'y peut rien ! *(Il pointe un doigt accusateur vers son père.)* Paresse des cœurs engourdis par trop d'années de cuisine française et de cocktails d'affaires !

LAROCHELLE. Es-tu bien sûr de la pureté de tes intentions ? Rénover la société ? Purifier les mœurs ?... ou trouver une façon de justifier ton existence ?

GILLES. Alors, à ton avis, tout le monde agit par égoïsme. Pas de gratuité possible...

MATRONI, *rugissant, se précipite sur Gilles.* La lettre est pas dans le tas ! Où sont les noms ? ! Où ! ? Dis-lé ou j't'arrache la tête !!!

GUYLAINE. Gilles, parle !

BOB. M'as te dézipper les deux flancs pis m'as te virer les poumons sur la doublure !

LAROCHELLE. Monsieur Matroni...

MATRONI, *maintenant Gilles par une prise au cou.* Oui, maître ?

LAROCHELLE. Eu égard aux services rendus à votre communauté... laissez-nous un moment, je vais essayer de clarifier la situation avec mon fils...

71

MATRONI. Je comprends, maître, pas besoin d'un dessin. *(Aux autres.)* Bob, tiens-toi dans l'escalier en bas. Guylaine, va dans ta chambre.

GUYLAINE. Va donc chier, toé, calice.

MATRONI. Pardon ?

GUYLAINE. Oui. Oui.

Elle sort, Bob est déjà sorti.

MATRONI. Je vous revaudrai ça, maître. Vous pouvez déjà considérer que tous mes frais judiciaires sont entre vos mains, dans le futur...

LAROCHELLE. C'est beaucoup trop.

Matroni s'esquive.

GILLES. Vous avez déjà gardé les cochons ensemble, maître ! ?

LAROCHELLE, *changant d'attitude, se rembrunissant.* Arrête ton persiflage de cégépien... Je sais que ç'a été notre mode de communication pendant des années... Ça amusait les amis de ta mère dans le temps, mais j'ai pus le cœur à ça...

GILLES. Qu'est-ce qu'y te prend ?

LAROCHELLE. J'ai les intestins en bouillie.

GILLES. Comment ça ?

LAROCHELLE. Comment, comment ça ? J'ai bu comme un cochon toute ma vie... *(Temps.)* Non : je regrette rien.

GILLES. Ça m'aurait plus inquiété.

LAROCHELLE. Alors, rapidement, quelques faits : six à douze mois.

GILLES. T'es condamné ?

LAROCHELLE. Oui.

GILLES, *contenant son émotion.* Désolé.

LAROCHELLE. J'étais venu pour te parler de ça.

GILLES. C'est fait.

LAROCHELLE. Qu'est-ce qu'y te prend ?

GILLES. Comment ?

LAROCHELLE. Qu'est-ce que t'es en train de foutre ici ?

GILLES. Je suis en train de me mettre d'accord avec moi-même.

LAROCHELLE. T'as besoin pour ça de te faire mettre un fusil sur la tempe ?

GILLES. S'il le faut.

LAROCHELLE. C'est quoi ton intérêt là-dedans ? Quel lien as-tu avec les deux hommes que tu protèges ?

GILLES. Rien en particulier. Tout en principe.

LAROCHELLE. Qu'est-ce que c'est ? Tu fais partie d'un nouveau groupe de remoralisation du monde ?

GILLES. En quelque sorte.

LAROCHELLE. Tu vis dans une autre époque, mon fils. Le temps de la morale est passé. On est à l'ère de l'intérêt bien compris.

GILLES, *solennel.* Une nouvelle communauté, ou la mort.

LAROCHELLE. Tu sais pas de quoi tu parles ! T'as pas connu les frères des écoles chrétiennes ! L'imperium religieux ! Quand j'étais jeune, on vivait un véritable communisme spirituel ; il y avait pas d'espace pour penser ! J'te parle pas d'une loi qu'on suivait comme ça dans l'air du temps ; non, d'une loi qu'on avait profondément intériorisée... Ça nous a pris des années, moi et mes camarades de collège, pour en sortir, s'en purger, s'ouvrir à une pensée plus personnelle, plus libre. Tu voudrais revenir à ça ? Rétablir Dieu dans ses fonctions ?

GILLES. Je veux pas revenir à une morale catholicarde ; personne n'a l'idée de revenir à cet enfermement-là.

LAROCHELLE. Mais qu'est-ce que Matroni a à voir avec tout ça ?

GILLES. La moitié de mon éducation a servi à faire l'inventaire des devoirs des hommes envers eux-mêmes, l'autre moitié à trouver comment s'y soustraire tout en flattant sa conscience.

LAROCHELLE. Boutade ! Mais pour ramener ton sens du devoir, pour ranimer l'éthique, la morale, il faut plus que l'indignation ; il faut un mythe, un mythe puissant !

GILLES. C'est étrange ! Tu considères la mort de ces deux hommes-là tout au plus comme un accident de la nature ; mais moi, j'y vois, mise en jeu dans la mort, ma propre humanité !

LAROCHELLE. Vous êtes plusieurs comme ça dans votre *commando* ?

Temps.

GILLES. Un soir, Alain et moi, on marche dans Boston. On entend des cris qui viennent d'une ruelle. On se précipite : on voit deux hommes en train d'en battre un autre, à coups de pied, de le battre à mort. Il y a six ou sept personnes qui « regardent » le spectacle sans bouger. Y a juste une femme qui crie qu'elle va appeler la police. Puis les gens continuent leur chemin. En pensant que la police va arriver de toute façon...

LAROCHELLE. Vous, vous êtes intervenus ?

GILLES, *troublé*. La police finit par arriver. On rentre sur le campus. Alain dit qu'il se dégoûte lui-même. Je file comme lui. On va se coucher. Au milieu de la nuit, j'entends des cris dans la cuisine. Alain est debout sur la table, nu, complètement saoul, et il dit : « Quand même j'arrive au sommet, que je sois le prince de ce monde, je vous demanderai des comptes pour chacun de mes frères, pour leur vie, leur souffrance, leur bonheur dénié ! Dieu mort, nous ne laisserons pas la place aux artistes de la bonne conscience. » Tu sais comment Alain était fragile... Le lendemain, Alain s'est tué. Y s'est jeté devant un camion.

LAROCHELLE. Alain est mort.

GILLES, *ému*. Oui.

LAROCHELLE. Alain n'avait pas de talent pour la vie.

GILLES, *dans un souffle*. C'était l'être le plus intelligent, le plus sensible, le plus profondément humain... c'est en poète qu'il habitait cette planète, c'est en poète qu'il est mort.

LAROCHELLE. Sous les roues d'un camion.

GILLES. Le train du monde l'a tué.

LAROCHELLE. Merde ! Pour un inconnu ? Il s'est tué parce qu'un gars qu'il connaissait même pas est mort dans une ruelle de Boston ?

GILLES. Y s'est tué parce que N'IMPORTE QUI est mort !

LAROCHELLE. Gilles, crois-moi, y a trop peu d'amour dans le monde pour le gaspiller avec des inconnus.

GILLES. Même avec l'homme en général ?

LAROCHELLE. Mais c'est un fantôme, ça, « l'homme en général » ! Une saloperie de chose universelle de merde, un délire chrétien, une forme vide pour que les petits cons de ton espèce puissent tomber dedans ! Il y a pas d'amour universel ! Y a pas d'homme universel !

Temps.

LAROCHELLE, *se levant et se dirigeant vers Gilles.* Les événements vont se précipiter ; on a plus beaucoup de temps. On parle ensemble comme on a jamais parlé. Je regrette rien du père que j'ai été ; je peux rien sur le passé. Mais je veux que ce moment unique que nous volons à la vie imbécile, je veux qu'il s'accomplisse... dans le sens de la vie. Si ton geste était un geste de vie, je te donnerais ma bénédiction, mais ça ressemble plus à un suicide. Alors voici : je négocie pour nous trois, Guylaine, toi et moi, une sortie honorable, et nous filons sur Ogunquit ; c'est le seul endroit où je t'ai déjà vu sourire quand tu étais enfant, et tu leur dis ce qu'ils veulent savoir.

GILLES. Impossible.

Guylaine survient.

GUYLAINE. Finissez-en, je vous en prie ! Je veux vivre, moi ! Tu comprends-tu ça, calice, ou t'as une brique à place du cœur ?

GILLES. Guylaine...

LAROCHELLE. Donne-nous les noms...

GILLES. Je... peux pas... je les ai jetés.

LAROCHELLE, *frappé d'une idée soudaine.* Tu les as... non ! Tu peux pas les avoir jetés. Tu jettes jamais rien. Je parie que t'as encore tes devoirs de première année ! Monsieur Matroni !

Matroni surgit.

MATRONI. Présent !

LAROCHELLE. Monsieur Matroni, Gilles vous a remis une feuille de papier vierge ? C'est ça ?

MATRONI. Je sais pas si 'était vierge, mais y avait rien dessus...

LAROCHELLE. Vous l'avez toujours ?

MATRONI. Oui...

GILLES. Non !

Il se précipite sur le manteau de Matroni dans l'entrée ; Matroni crie : Bob ! *Bob surgit et, tout en maîtrisant Gilles, remet le papier à Matroni.*

LAROCHELLE. Donnez, je vous prie. *(Matroni le lui remet. Larochelle déplie la feuille soigneusement et l'examine à la lumière un moment. Se retourne vers Gilles.)* Collégien, va... Collégien, petit collégien ! Guylaine, jolie cantinière, tu as un quartier de citron pour moi ?

GUYLAINE. Je sais pas... c'est pas une cafétéria icitte.

MATRONI. Trouves-y, dézoune !

Elle trouve, revient.
Larochelle passe le citron sur le papier. Une phrase apparaît.

MATRONI. Hé !

LAROCHELLE. Oui, hein ? ! On utilisait le même truc, il y a quarante ans. P'tit morveux en graine ! Il y a vraiment une culture du secret qui se dément pas, dans les collèges privés. C'est ce qui les prépare si bien à la haute fonction publique...

MATRONI. Que cé que ça veut dire ? « JE SUIS LÉGION »...

LAROCHELLE. On reconnaît bien notre vengeur.

MATRONI. C'est quoi ?

LAROCHELLE. Un anagramme sans doute.

MATRONI. Hein?

LAROCHELLE. Il a dû prendre toutes les lettres des noms de vos collaborateurs, et il a composé cette phrase avec.

GILLES. Je me souviendrai pas des noms, par exemple.

LAROCHELLE, *gouailleur.* Il a oublié.

MATRONI. Comment ça marche, l'agranamme?

LAROCHELLE. Pour retrouver les noms, vous voulez dire?

MATRONI. Hey! Arrête de siroter du verbe pis explique, calice!

GUYLAINE. C'est facile! Jusse prendre toutes les lettres de la phrase, pis en jouant avec, vous allez avoir les noms des deux gars.

MATRONI. Simonac, j'ai-tu le temps de jouer au scrabble, moé! Hein? *(À Gilles.)* Maudit cave! Tu dois avoir une pile atomique à' place d'la prostate!

Matroni projette Gilles contre la boîte aux lettres.

LAROCHELLE. Vous devriez vite vous mettre au scrabble... *(À la fenêtre.)* Le matin déploie ses ailes et la ville reprend ses allures de charnier ordinaire.

Matroni et Bob s'installent à la table et devisent entre eux, à voix basse, sur les noms possibles.

LAROCHELLE. Jolie cantinière, je ne m'inquiète pas pour toi, tes yeux ont l'éclat des aubes du début du monde...

GUYLAINE. Merci...

MATRONI. Ciboire, Bob, arrête de parler, j'm'entends pus penser!

GILLES, *à son père.* Tu penses comme un cadavre!!!

GUYLAINE. Gilles!

LAROCHELLE. Laisse, ma chérie... Il ne croit pas si bien dire. Mes cellules se mutinent. Ma lassitude les a exaspérées, je pense.

BOB, *épelant.* G-O-U-I-N! Y a Gouin!

MATRONI. Ah, l'estie!.. J'savais qu'y avait pas les yeux dans' bonne sacoche depuis un boutte...

GUYLAINE. Vous avez le cancer, monsieur Larochelle?

LAROCHELLE. Robert Larochelle a commencé sa dernière ascension. Bientôt je me réveillerai à l'envers de la vie.

MATRONI, *épelant.* J-E-S-S-I... Jessie L.! Jessie Lusano! Mes deux crosseurs, vous perdez rien pour attendre, ma paire de couilles sales...

BOB. Que cé qu'on fait?

LAROCHELLE, *à Matroni.* Le bacille a été identifié?

MATRONI. On sait qu'y savent pas qu'on sait que c'est eux autres...

Le téléphone sonne. Tous se figent. Guylaine va répondre. Matroni la devance.

MATRONI, *au téléphone.* Hein?

Pas de réponse. Il raccroche.

GUYLAINE. Un mauvais numéro?

MATRONI. Au contraire. Y ont trouvé celui qu'y cherchaient... Bob!

BOB. Oui, boss?

MATRONI. T'es armé?

BOB. Oui, dans l'char.

79

MATRONI. Va couvrir en arrière. Y a ben un escalier qui donne sur la ruelle?

BOB. Oui.

Il sort.

GUYLAINE. Hé! Non! Pas de ça icitte! Sortez!

MATRONI, *autoritaire*. Ma chérie, c'est monsieur Matroni qui s'amuse à c't'heure. Pas de discutaillage!

LAROCHELLE. Jolie cantinière, voici venue l'heure des spécialistes.

GUYLAINE, *désespérée*. Pas icitte! Pas icitte!

Matroni se plaque contre le mur et espionne la rue par la fenêtre, l'arme au poing.

LAROCHELLE. «Ô magnifique arbre du savoir! Voûte inutile qui fait ombre dans l'ombre!»

MATRONI. C'est quoi ça?

LAROCHELLE. C'est un code. Paul Valéry.

MATRONI. Ben j'espère que ta Valérie est en forme, parce que ça va danser aux tables betôt.

GILLES, *rejoignant son père*. Papa... c'est vrai pour le... cancer?

LAROCHELLE, *hochant la tête*. Et pour une fois que la vie nous réunit presque spontanément, je suis venu te dire que nous ne nous reverrons plus.

GUYLAINE. Mais pourquoi? On va aller vous voir à l'hôpital...

LAROCHELLE. Oh non! Je veux quand même laisser à ma mort le bénéfice du doute... Je ne veux à aucun prix te laisser penser que la vie ne vaut pas la peine d'être vécue, jamais! Je voudrais que tu saches, cependant, que les criminels ne sont pas ceux que tu crois...

GILLES. Qui sont-ils?

LAROCHELLE. Toi, Gilles, mon fils.

MATRONI. Ouais! (Une auto freine. Portières qui claquent. Matroni dans un souffle.) Tout le monde à terre!

Ils obtempèrent, mais, dès que Matroni a le dos tourné, ils se relèvent.

LAROCHELLE. Voici les cavaliers qui viennent trouver l'expiation de leur course.

MATRONI. Gouin, mon chien... m'as t'faire sauter les patins, mon sale...

pas de tolérance

LAROCHELLE. Gilles... fais-moi plaisir.

GILLES. Quoi?

LAROCHELLE. Brûle tous tes livres de Kant et autres vibrateurs de pénis moraux.

GILLES. Pourquoi?

Larochelle va à la porte d'entrée. Il enfile le manteau de Matroni.

LAROCHELLE. Parce qu'ils n'ont pas assez fait l'amour aux femmes pour en parler.

MATRONI. Ta gueule! À terre!

LAROCHELLE. Après l'amour, le corps veiné par la douce fièvre, étendu sur la couche, les yeux dans les fissures du plafond, tu peux comprendre que la solitude est ton seul horizon et que toutes les lois morales qui veulent t'embrocher aux autres sont mensonges. Sois loyal, sois honnête, mon fils, mais surtout, sois souverain.

Individualiste (souci corps) Indifférence

Il sort en faisant semblant de tenir un revolver sous le veston. Gilles se précipite à sa suite.

GILLES. Non, papa !

GUYLAINE. Gilles.

Les deux ont disparu dans l'escalier. Une détonation retentit. Cri étouffé. Matroni tire à son tour par la fenêtre.

MATRONI. *Got you !*

Bob survient.

BOB. Vous en avez eu un ?

MATRONI. En arrière ?

BOB. Personne !

MATRONI. J'ai eu Gouin. Jessie doit être planqué près du mur en bas.

BOB. Guylaine est où ?

À ce moment, Guylaine revient.

GUYLAINE. Ils l'ont tué !

MATRONI. C'est c'qu'y voulait, j't'jure. J'ai pas été à l'école longtemps, mais j'connais les hommes.

GUYLAINE. Ostie.

BOB. Boss, si on décrissait par en arrière. On pognera Jessie plus tard. Là les bœufs peuvent arriver d'un m'ment à l'aut'.

MATRONI. Là tu parles.

BOB. Guylaine, tu viens avec nous aut'. Tu reviendras dans deux trois jours quand Jessie sera sur son crochet.

GUYLAINE, *paniquée*. Gilles.

BOB. Envoye !

Bob et Matroni sortent par l'arrière. Gilles revient, transportant à l'aide d'un diable (le même qui a servi à Bob pour amener la boîte postale...) son père à l'agonie. Aidé de Guylaine, il l'étend sur la table.

GILLES. Papa...

GUYLAINE. J'appelle l'ambulance.

GILLES. Papa, tu m'entends ?

LAROCHELLE. Oui, mon fils. Approche-toi...

GILLES. Oui ?

LAROCHELLE. Pour... préparer... le gin tonic...

GILLES. Hein ?

LAROCHELLE. Il ne faut pas que le... tonic... soit trop tiède... deux glaçons... et l'âme te viendra en bouche, l'âme qui flamboie dans le gin... tonic... bien préparé... l'âme des sommets... mon enfant... respire l'air des sommets... et aime la vie jusqu'à l'intolérable, parce que c'est si vite passé ! Je m'en vais sur le plus haut sommet... mes cheveux brûlent, sens-tu ? J'ai un arbre enfoncé dans le cœur, et sa sève goûte le gin tonic... le gin... gin... *(Gilles prend la flasque dans la poche intérieure du veston de son père et lui verse du gin entre les lèvres.)* Oui !

GILLES. Parle pas...

LAROCHELLE. Je parle pas... je rêve.

Il meurt.

GILLES. Papa ? Papa ?

Guylaine s'approche.

GUYLAINE. Y est mort ?

GILLES. Oui.

GUYLAINE. Qu'est-ce qu'y t'a dit?

GILLES. Je suis pas sûr d'avoir compris. *(Gilles prend la flasque de gin, en prend une bonne lampée.)* Il a versé pour moi le gin de l'alliance nouvelle, en tout cas.

GUYLAINE. Ferme-lui les yeux... vite!!! Sinon ça peut jammer là!

Gilles essaie. Impossible.

GILLES. J'suis pas capable...

GUYLAINE. Comment ça?

GILLES. Y ferment pas...

Guylaine essaie à son tour de fermer les yeux de Larochelle.

GUYLAINE. Y a tu des springs là-dedans?...

Gilles se penche sur son père et lui arrache un œil. Guylaine pousse un cri d'épouvante. Gilles lance l'œil contre le mur, au-dessus de la porte. Le triangle avec l'œil de Dieu ensanglanté apparaît.

NOIR.

FIN

Septembre 1994-janvier 1997

L'AUTEUR

ALEXIS MARTIN

Né en 1964 à Montréal, élève du Conservatoire d'art dramatique de Montréal de 1983 à 1986, Alexis Martin a beaucoup joué au théâtre, notamment dans *En attendant Godot* (TNM), *La Locandiera* (TNM), *Durocher le millionnaire* (NTE), *Maîtres anciens* (UBU), *Les Années* (Quat'Sous). Il a aussi beaucoup travaillé au Nouveau Théâtre expérimental sous la houlette de Robert Gravel et Jean-Pierre Ronfard.

Depuis douze ans, Alexis Martin écrit régulièrement pour le théâtre. En plus de *Matroni et moi*, il a fait jouer *Apollyon*, ainsi que *Oreille, tigre et bruit*, et *L'Apprentissage des marais*, écrit en collaboration avec René Richard Cyr.

TABLE DES MATIÈRES

OUVRAGE RÉALISÉ PAR
LUC JACQUES, TYPOGRAPHE
ACHEVÉ D'IMPRIMER
EN JUIN 2005
SUR LES PRESSES DE
MARC VEILLEUX IMPRIMEUR INC.
BOUCHERVILLE
POUR LE COMPTE DE
LEMÉAC ÉDITEUR, MONTRÉAL

DÉPÔT LÉGAL
1re ÉDITION: MAI 1997
(ÉD. 01 / IMP. 07)